D0526060

Illustration de la couverture :
Catherine Trottier

Couverture :
Conception Grafikar

Édition électronique :
Infographie DN

Dépôt légal : 3e trimestre 2003
Bibliothèque nationale du Canada
Bibliothèque nationale du Québec

123456789 IML 09876543


ISBN-2-89051-876-0
11106

# LES DÉMONS DE RAPA NUI

## DU MÊME AUTEUR AUX ÉDITIONS PIERRE TISSEYRE

**Collection Chacal**
*Les messagers d'Okeanos,* 2001.
*Sur la piste des Mayas,* 2002.

**Données de catalogage avant publication (Canada)**

Devindilis, Gilles

Les Démons de Rapa Nui

(Collection Chacal ; 24)
Pour les jeunes de 12 ans et plus.

ISBN 2-89051-876-0

I. Titre II. Collection

PZ23.D488De 2003 j843'.914 C2003-941433-7

# LES DÉMONS DE RAPA NUI

Une aventure de Laurent Saint-Pierre

Gilles Devindilis

aventure

ÉDITIONS
PIERRE TISSEYRE

5757, rue Cypihot, Saint-Laurent (Québec) H4S 1R3
Téléphone: (514) 334-2690 – Télécopieur: (514) 334-8395
Courriel: ed.tisseyre@erpi.com

*Qu'est-ce que le temps ? Est-ce un fleuve impétueux qui emporte tous nos rêves, comme le proclame un vieil hymne ? Ou bien ressemble-t-il à une voie de chemin de fer ? Peut-être recèle-t-il des boucles et des bifurcations qui permettent de continuer à aller de l'avant tout en revenant en arrière.*

Stephen Hawking,
*L'Univers dans une coquille de noix*

# 1

# *La Morrigane*

Le voilier, un ketch, avait quitté les îles Fidji douze jours plus tôt. Il avait fière allure avec ses vingt-deux mètres de long et toutes ses voiles déployées. Son nom, *La Morrigane*, était inscrit en lettres dorées de part et d'autre de la coque, dont la blancheur contrastait élégamment avec le bois précieux du pont supérieur.

Il aurait été difficile de donner un âge précis à ce vieil écumeur des mers. Depuis combien de temps gisait-il, appuyé sur un de ses flancs, lorsque Laurent et son compagnon d'aventures l'avaient découvert ? Sa construction remontait-elle au siècle dernier ou, plus loin encore, au siècle précédent ? Cela restait un mystère. Il avait appartenu à une vieille famille d'émigrés, dont le dernier

membre, à Suva, en avait fait cadeau, peu avant sa mort, au Comité des pêches local. C'était à ses représentants que Laurent l'avait acheté. Son état était alors loin de celui qu'il affichait aujourd'hui. Il avait fallu une bonne dose d'huile de coude à tous ceux qui s'étaient acharnés à lui rendre son lustre d'antan… Et pas mal de dollars aussi car, à son attirail vétuste, il avait été nécessaire d'ajouter un équipement moderne de navigation.

Tout avait commencé sur une idée de Laurent, Saint-Pierre de son nom, jetée un soir au beau milieu d'un barbecue. Le couple d'amis, assis en face de lui, l'avait écouté avec incrédulité. Jamais ils n'auraient imaginé que cette folle idée pourrait un jour se réaliser. Elle s'était réalisée.

Utilisateur des techniques multimédias, Laurent s'était démené des nuits durant sur le Net sans comptabiliser le nombre de sites qu'il avait visités, probablement plus d'une centaine, avant que son attention ne soit attirée par une photographie montrant un coin retiré de la zone portuaire de Suva, à l'embouchure de la Rewa[1]. Cette photo représentait l'épave

---

[1] Rivière à l'embouchure de laquelle est bâtie Suva, la capitale des îles Fidji.

d'un vieux bateau couché sur la berge. Sans oser y croire, Laurent avait redoublé d'énergie pour tenter d'en apprendre le plus possible sur sa trouvaille. Lorsqu'il avait enfin su que l'épave était à vendre, il avait foncé. Et, bien sûr, en entraînant avec lui son ami Keewat. Lorsqu'il revoyait la mine ébahie du Tchippewayan, il en riait encore. « Voyons, Lorri, Suva est la capitale des îles Fidji. Tu sais où ça se trouve, les îles Fidji ? » Et Laurent de jubiler : «Évidemment. À l'autre bout de la terre ! »

Il s'en était suivi un invraisemblable périple. Keewat connaissait la ténacité de son ami, mais à ce point... Il avait fallu, bien entendu, exposer le projet à ses parents. Olivier et Anne Saint-Pierre avaient pensé, au premier abord, que c'était une folie. Puis, leur largesse d'esprit aidant, et aussi la confiance qu'ils avaient en leur fils, ils l'avaient finalement accepté. Un seul point noir subsistait : ses études. Ce projet l'obligeait à les interrompre pour quelque temps, ce qui, selon eux, n'était peut-être pas la meilleure des choses. En ce qui concernait l'épave, si, vue de près, elle se révélait irrécupérable, il s'en rendrait vite compte. Tout ce qu'il aurait perdu, alors, ce serait l'argent du voyage, le sien, celui dont

il disposait depuis son aventure au Mexique[2]. Qu'il réussisse à entraîner Keewat avec lui ne regardait que… Keewat.

Ensuite, il leur avait fallu une trentaine d'heures d'avion entrecoupées d'escales : New York, Los Angeles, Honolulu… et finalement Suva. Sur place, ils s'étaient rendus immédiatement au quartier du port avant de s'arrêter, enfin, devant l'objet du voyage : le fameux gréement !

Laurent s'était assis en tailleur sur la grève. Le vieux bateau avait semblé le regarder de ses deux hublots de proue, comme s'il le suppliait de ne pas le laisser souffrir plus longtemps sous l'assaut des vers et des moisissures, qui, telle une lèpre, s'attaquaient à toute sa carcasse. Il l'avait entendu geindre dans un murmure : « Ne me laisse pas mourir ici, je t'en prie. Aide-moi à reprendre la mer. En échange, je t'emmènerai là où tu veux… Je te raconterai les histoires du vent et des vagues, des horizons lointains, des terres mystérieuses et embrumées… » Il s'était demandé de quelles terres mystérieuses il pouvait encore bien s'agir, au XXI$^{e}$ siècle, où la quasi-

---

[2] Lire *Sur la piste des Mayas*, du même auteur, dans la même collection.

totalité de la planète avait été sondée dans ses moindres recoins.

— Drôlement magané, ton yacht de rêve ! avait laissé tomber Keewat. À mon avis…

— Ne décidons pas sans savoir, coupa Laurent, impatient. Allons l'inspecter de plus près… Moi, je trouve qu'il a encore fière allure. Avec un peu de peinture, quelques planches et une nouvelle voilure, le tour sera vite joué.

— Vite joué ? Sans doute. Mais tout aussi vite coulé !

Keewat fut qualifié de défaitiste. Il n'avait pas cherché plus longtemps à faire entendre raison à son ami. Quand ce dernier avait une idée dans la tête, vouloir l'en écarter était tâche impossible.

Ils l'avaient examiné sur toute sa longueur, du fond de cale au pont principal. Le point avait été fait à l'intérieur du roof où gisait le plus hétéroclite des dépotoirs. Lorri avait redressé du pied un bidon rouillé, sur lequel il s'était assis, avant de mesurer l'humeur du bord, c'est-à-dire, principalement, celle de son compagnon d'aventures.

— Alors ?

— Ben, c'est pas gagné, mon vieux. J'espère que tu t'en rends compte. Et je ne te

parle pas du fric. Prépare-toi à revendre la jolie Kawasaki que tu viens d'acheter.

— Mais, vu sous un angle matériel, c'est faisable ?

De ses doigts repliés, le Tchippewayan avait sondé les cloisons du roof à plusieurs endroits.

— C'était du solide, c'est certain... Je dois avouer que ça tient encore la route.

Il y avait eu un fracas d'enfer lorsque la porte, qu'il avait tenté de décoincer, s'était abattue d'une pièce, lâchée par le dernier de ses gonds.

— Certaines choses doivent néanmoins être revues, avait-il ajouté ironiquement.

— Ce n'est qu'une porte. En un tour de main, elle peut être remplacée.

— Ouais... Des tours de main semblables, il nous en faudra des milliers... Enfin !

— Nous !? Tu marches ? Tu verras, tu ne le regretteras pas !

— J'espère bien. En attendant, tu as gagné, vieux frère. Le tout, c'est de procéder par étape. Quand est-ce qu'on mange ?

Laurent et Keewat avaient négocié le prix comme d'authentiques marchands de tapis. Le pauvre bateau s'était vu affublé des pires défauts et des plus grosses malfaçons. C'était un fier service qu'ils rendaient au Comité des pêches en le débarrassant de cette coquille de noix pourrie qui ne valait plus un clou.

Malgré cela, les gens du Comité ne s'en étaient pas laissé compter et la facture était restée salée. Il était loin le temps où l'on vivait ici avec quelques coquillages ou dents de dauphins en poche ! Le dollar y régnait maintenant en roi.

Les deux compagnons avaient ensuite cherché à se loger. Cette quête leur fit parcourir plusieurs quartiers de la ville où avaient poussé des hôtels clinquants au milieu d'habitations, nettement plus modestes, en bois peint et recouvertes de palmes. Ils allèrent ainsi jusqu'à la périphérie où vaquait une population hétéroclite de Polynésiens, Hindous, Européens et Chinois.

Même si les tarifs qu'ils avaient rencontrés n'étaient pas des plus prohibitifs, ajoutés au prix de vente du ketch, ils risquaient de grever sérieusement le reste de leur budget réservé, pour la plus grosse part, aux travaux de restauration. Ils remirent à plus tard la

question du logement, se disant qu'aux Fidji, dormir à la belle étoile n'était sans doute pas la pire des choses qui puisse leur arriver. Ils avaient donc regagné la zone portuaire à la recherche d'un chantier naval artisanal, susceptible de remorquer le bateau et d'en lancer la remise en état. Ils firent affaire avec Timotéo Laku, un Fidjien, charpentier de marine, qui leur proposa même de participer au chantier pour en minimiser la note.

Encouragés par la tournure des événements, les deux compagnons avaient acheté un *pack* de Fidji Bitter, une marque de bière locale, afin de fêter dignement le lancement de leur projet. Quelques canettes plus tard, Lorri, en parfait flibustier, s'était laissé glisser le long d'un cordage de son vieux bateau avant d'atterrir sur le gravier. C'est à ce moment qu'il avait pu lire, à moitié effacé par les ans et les intempéries, le nom de sa nouvelle acquisition : *La Morrigane.*

— T'en fais pas, ma vieille, lui chanta-t-il en trinquant, je te promets une de ces chirurgies esthétiques… À nous, les mers et les océans ! À nous, le monde !

Au cours des semaines qui suivirent, Laurent se rendit compte rapidement de deux choses. La première concernait la restaura-

tion proprement dite de *La Morrigane*: elle se révélait parfaitement réalisable et il n'en était pas peu fier. La seconde, nettement moins tripante, touchait au budget alloué à cette remise en état : il serait dépassé. À la fin du chantier, il aurait en face de lui un ketch brillant comme un sou neuf, ou presque, mais côté sous, il ne lui en resterait plus un de vaillant. Effectivement, le jour où *La Morrigane* avait été prête à reprendre la mer, les poches de Lorri étaient vides. Il était alors devenu indispensable de concrétiser l'idée qui lui était venue, un jour de réflexion, pour prévenir financièrement l'entretien et la navigation de son bateau.

Il avait écarté la solution consistant à ce que Keewat augmentât sa participation dans leur association. Il lui avait déjà demandé beaucoup. Un nouveau projet avait mûri dans sa tête. Cela pouvait ne pas marcher, mais qui ne risquait rien n'avait rien. Son idée ? Elle était sans doute hardie. Faire de *La Morrigane*, un navire scientifique. Certes, pas de la taille de *La Calypso* du commandant Cousteau, mais, moyennant rétribution, la faire participer à de petits programmes d'étude des mers et des régions côtières. De cette première idée en avait découlé une autre,

encore plus réjouissante : demander l'aide de Cynthia Glendale, employée au Centre de recherches océanographiques de Paris. Cynthia... Une fille avec un affriolant grain de beauté posé au coin du menton, des yeux... des yeux... Bref, il en pinçait sérieusement pour elle. Ils s'étaient rencontrés au cours d'une précédente aventure, précisément à bord d'un navire océanographique, au large du Cap-Vert[3]. Depuis, bien qu'elle lui eût promis de visiter le Québec, elle n'y était pas encore venue. Faute de mieux, il avait dû se contenter d'une correspondance sur le Net, avec, de temps en temps, un échange par téléphone. L'attrait qu'elle exerçait sur lui n'avait fait que croître.

Lorri avait exposé son projet à son ami indien dès qu'il lui était venu en tête. Réaliste, Keewat y avait mis un bémol :

— Tu n'ignores pas ce que cela implique du point de vue équipement... À moins que tu projettes de n'utiliser qu'une simple canne à pêche, un masque et un tuba, pour tes expérimentations... Enfin, Lorri, tu étais comme

---

[3] Lire *Les Messagers d'Okeanos,* du même auteur, dans la même collection.

moi sur le *Surveyor*, au large du Cap-Vert. Tu te souviens du matériel dont il disposait ? Il ne te reste pratiquement plus un cent !… Et je t'ai déjà fait une avance. Oui, mon vieux ! Pendant les travaux, tu bouffes comme quatre, et la plupart du temps, c'est moi qui fais les courses. Une chance que nous ayons pu éviter le loyer d'une chambre en logeant sur place, dans le roof !

— Il ne s'agit pas de transformer *La Morrigane* en *Surveyor*, rassure-toi, je n'ai pas la folie des grandeurs. Dans le domaine océanographique, je partage ton avis, les grosses études exigent des moyens bien supérieurs à ceux dont nous pourrions disposer. Mais à côté de cela, il existe aussi de petites enquêtes, bien ciblées, ne nécessitant que quelques appareils. Cet appareillage, le Centre de recherche de Rimouski, ou celui de Paris, par l'intermédiaire de Cynthia, pourrait le mettre à notre disposition. Qui sait même si, ici, à l'université des Fidji, des gens ne seraient pas intéressés par ce projet ?

— Cynthia… Cynthia… Qui te dit qu'elle marchera dans ta combine ?

— Je vais lui exposer notr… mon projet, en personne, à Paris. Je suis certain qu'elle sera emballée. Cela ne me prendra que trois

ou quatre jours. Euh… Le moment venu, si tu pouvais m'avancer l'argent du voyage…

Et il était parti. Et revenu. Avec Cynthia et la bénédiction du Centre.

Cynthia avait été immédiatement séduite par *La Morrigane*. Le ketch, longtemps abandonné à son triste sort, le pire pour un bateau, celui de mourir à terre, était redevenu un magnifique gréement. Il présentait deux mâts sur lesquels se hissaient quatre voiles principales. Le spardeck[4] supportait le canot, les différents mécanismes de manœuvre et la chambre des cartes sous laquelle trônait le mess. Les membres d'équipage disposaient de cinq cabines réparties au niveau du pont principal, d'un petit salon et d'un dortoir commun. Le roof et sa cuisine, percés d'ouvertures, servaient de pièces à vivre. Les locaux techniques où trônaient les moteurs étaient agencés au milieu de la cale. Tout cela avait été remis en état et doublé d'un appareillage moderne de navigation et de sécurité, acheté d'occasion.

Cynthia avait accueilli Lorri à l'aéroport de Roissy, dans la banlieue de Paris. Au télé-

---

[4] Pont qui s'étend sans interruption de l'avant à l'arrière d'un navire.

phone, il l'avait au préalable mise au courant du projet. Elle retrouva avec plaisir sa silhouette d'athlète. Il était toujours aussi séduisant, ce jeune Québécois.

— Tu es fou, Lorri ! lui avait-elle dit en lui donnant des becs vigoureux sur les deux joues.

— Ça, je sais !

— J'ai parlé de ta proposition au Centre. Mes supérieurs la trouvent intéressante. Ils ne crachent pas sur une aide, quelle qu'elle soit. J'espère que tu as une photo de cette... *Morrigane*, dont tu es tombé amoureux... Attention, je pourrais être jalouse !

Il la regarda rire. Oh ! ce grain de beauté ! Et ces yeux ! Elle n'était plus une adolescente, cela ne l'empêchait pas d'être vêtue comme elles, pantalon taille basse et nombril découvert, avec un tout petit brillant qui jouait dans la lumière.

Elle l'avait logé chez elle et, dans la foulée, emmené au Centre pour qu'il y présente son dossier. Comme elle l'avait été, les scientifiques présents furent séduits par la volonté de leur interlocuteur. Il ne manquait pas d'audace et il était drôlement sérieux pour son âge. Voilà un jeune qui n'hésitait pas à consacrer son temps au bien-être de la planète.

Il ne fallait surtout pas décourager cette vocation.

Sans entrer dans les détails, Lorri leur expliqua qu'il avait gagné une forte somme d'argent, que tout ce pactole avait été utilisé pour la restauration de son bateau et que, pour que ce dernier puisse naviguer, il lui fallait trouver de l'argent frais. Passionné de biologie et d'écologie, l'idée lui était venue de se mettre corps et biens à la disposition de toute autorité scientifique susceptible de l'employer. Son exposé dut être convaincant, car, le lendemain, il avait obtenu un contrat signé... avec Cynthia comme chef de projet.

— Tu n'es pas ordinaire, Lorri, lui avait dit la jeune femme lorsqu'ils étaient rentrés à son appartement. Tu prends le risque d'interrompre tes études pour te lancer dans un projet insensé, et tu m'appelles comme ça, de l'autre bout du monde, pour y participer...

— Pas si insensé que cela puisque le Centre a marché. J'ai un contrat signé, non ? Quant aux études... Bah ! Quelle université serait plus instructive que celle de l'expérimentation directe sur le terrain ? Rien ne m'empêche de les reprendre par la suite. Disons que je m'accorde une ou deux années... sabbatiques. À chacun son chemin ! Et puis,

avec un professeur en chef comme toi... Tu es toujours aussi belle, Cynthia.

Elle apprécia le compliment, discrètement. Laurent ne lui était pas indifférent, loin de là, mais elle n'avait pas envie de précipiter les choses. Ses dernières aventures amoureuses l'avaient plutôt déçue.

Elle posa son verre de jus d'orange et vint s'asseoir doucement sur ses genoux. Elle passa ensuite les mains dans ses cheveux blonds qu'il avait longs et fournis. Elle lui déposa rapidement un baiser sur les lèvres puis se leva d'un coup de reins.

— Tu es toujours aussi mignon, Laurent Saint-Pierre. Le travail nous attend !

Lorsque Laurent et Cynthia étaient arrivés à Nadi, l'aéroport international des îles Fidji, une énorme surprise les attendait. Keewat était entouré d'Aude de Grands-Murs et de son célèbre grand-père, l'archéologue et ethnologue, Blaise de Grands-Murs.

Aude était l'amie de cœur de Keewat. Comment pouvait-elle se trouver ici ? Quoi qu'il en soit, Lorri les accueillit avec la plus grande joie.

— Je ne t'en avais rien dit, avoua le Tchippewayan. J'étais un peu sceptique quant à ton succès, mais, te connaissant, j'étais certain que tu reviendrais accompagné de Cynthia. La partie devenait trop injuste. Il me fallait, moi aussi, trouver de la compagnie. J'ai tout organisé en secret, dès la première fois où tu m'as fait part de tes intentions. J'ai pensé également au professeur. Ne risquait-il pas d'être intéressé par un voyage sur les traces des grands navigateurs ? La Polynésie a son histoire et ses mystères. J'étais sûr que le professeur saisirait l'occasion. Lorsque j'ai évoqué la possibilité d'une escale à l'île de Pâques, il n'a pas hésité longtemps... Et voilà !

— Je tiens à payer ma part, Laurent. Non, non... J'y tiens. Nous considérerons cela comme un voyage d'étude. Keewat m'a mis au courant de tes petits problèmes d'argent. Ce sera un échange de services. Dois-je vous rappeler que, depuis notre découverte au Mexique[5], le livre que j'ai écrit se vend comme des petits pains ? Ne t'en fais pas pour mon portefeuille.

---

[5] Lire *Sur la piste des Mayas*, du même auteur, dans la même collection.

— Argent ou pas, vous êtes le bienvenu à bord de *La Morrigane*, professeur. *Bula*[6] à toi également, Aude... Et maintenant, les amis, il n'y a plus une minute à perdre. Nous devons mettre au point l'itinéraire de notre croisière dans ses moindres détails. À toi de commander, Cynthia. Tout ce qui doit être fait pour planifier le travail scientifique sera fait, compte sur moi.

Il avait fallu une quinzaine de jours pour achever les préparatifs du départ. La partie la plus pointue avait incombé à Cynthia Glendale. Son statut de chercheuse au Centre océanographique de Paris, renforcé par l'appui de ses principaux supérieurs, lui ouvrit les portes de l'Université des Fidji, de renommée internationale. Le programme de *La Morrigane* s'insérait dans une étude beaucoup plus vaste, entreprise par plusieurs nations, dont le sujet, un peu compliqué, avait pour définition *Étude des écosystèmes côtiers du Pacifique et des influences terrigènes et*

[6] Bienvenue, en fidjien.

*anthropiques qu'ils subissent*[7]. Grâce à cette intégration, la jeune femme avait pu obtenir un certain nombre d'appareils nécessaires aux travaux dont elle superviserait la réalisation, comme la mesure physique et chimique des particules sédimentaires rejetées par les populations humaines côtières ; les analyses d'eau de mer ; le pointage des différentes espèces animales et végétales évoluant et vivant dans ces écosystèmes : mangroves, herbiers, récifs... Sa contribution ne s'arrêterait pas là. Au cours de la croisière, elle aurait pour tâche d'apprendre à ses amis le maniement de cet appareillage ainsi que de leur inculquer quelques bases indispensables de biologie.

Et *La Morrigane* avait finalement levé l'ancre.

---

[7] Étude ( authentique ) des répercussions des activités humaines sur les terres et les eaux côtières du Pacifique.

# 2

# Où il est question de l'île de Rapa Nui

Sous une houle légère, donc, qui la faisait se balancer élégamment, *La Morrigane* suivait son petit bonhomme de chemin. La première escale avait été prévue aux îles Samoa. Après une série de relevés faisant partie du programme, elle mettrait le cap vers les îles Cook, puis s'orienterait ensuite vers l'archipel de la Société. Si le temps le permettait encore, elle descendrait alors vers l'île de Pâques où Laurent et ses amis auraient le plaisir de contempler pour la première fois, Blaise de Grands-Murs mis à part, ses célèbres et mystérieuses statues.

La nuit s'annonçait par les changements de teintes qu'elle donnait au ciel et à la mer. Bientôt, lorsque le soleil aurait disparu sous

l'horizon, elle envahirait l'espace de son linceul de ténèbres. Bien vite, cependant, ce linceul se peuplerait d'une infinité d'étoiles, spectacle maintes fois renouvelé, mais toujours aussi merveilleux à contempler. Après avoir fixé la barre et vérifié les haubans, Lorri vint rejoindre ses compagnons sur le pont.

— Vous avez tous fait un travail remarquable, lui dit Cynthia, tandis qu'il s'allongeait dans le fauteuil toilé voisin du sien. *La Morrigane* navigue admirablement bien. Vous avez accompli une véritable prouesse.

— Timotéo n'est pas étranger à cette réussite, reconnut Laurent. Ce Fidjien est un génie de la charpente. Grâce à son savoir-faire, il a permis la résurrection de ce beau bateau. Quelqu'un d'autre, en voyant l'état dans lequel il se trouvait, aurait peut-être renoncé. Il y a cru, tout comme moi… La première fois que j'ai vu le ketch, abandonné sur la berge, c'est un peu comme s'il m'avait parlé. Évidemment, cela ne s'est pas fait tout seul, je le reconnais.

— Ça, tu peux le dire !

— Oui, approuva à son tour Blaise de Grands-Murs. Vous êtes doués, tous les deux. Et je trouve l'idée de Lorri très honorable… et généreuse. Beaucoup dépensent leur argent

dans des futilités, alors qu'il y a tant à faire. Un tel projet, à votre âge, mérite le respect. Je suis heureux de participer à son baptême.

— Levons nos verres à nos héros, lança Aude en brandissant le *caraïbos*[1] qu'ils s'étaient versé pour célébrer cette première semaine passée en mer. Longue vie à *La Morrigane*!

Au cours des jours de navigation, Laurent et Keewat s'étaient familiarisés avec la voilure du ketch. Ils n'étaient pas novices en la matière, loin de là. Tous deux avaient déjà pratiqué la voile sur le Saint-Laurent ou dans l'océan Atlantique. Les dimensions et l'architecture du voilier imposaient cependant un temps d'adaptation. À Suva, avant de se risquer en haute mer, ils s'étaient perfectionnés en faisant quelques sorties d'apprentissage en zone côtière. Ils s'en étaient parfaitement tirés. Désireuses de les aider, Aude et Cynthia avaient tenu également à participer aux différentes manœuvres. Cette aide s'imposait d'ailleurs par nécessité, surtout dans le cas d'un éventuel coup de tabac, où l'ardeur de quatre paires de bras ne serait pas de trop. Elle

[1] Cocktail exotique à base de fruit de la passion, banane, grenadine, rhum blanc et liqueur des tropiques.

serait augmentée, sans en douter, de celle du professeur, qui, malgré son âge, possédait encore une énergie capable de faire des envieux. Mais nulle perturbation ne menaçait en ce moment l'allure régulière de *La Morrigane*, et la tombée du jour s'accompagnait d'un calme olympien.

— Si je ne m'abuse, reprit Laurent Saint-Pierre en désignant son ami Tchippewayan, c'est à ton tour de préparer le repas. J'ai une faim de loup !... de mer, bien entendu !

Keewat souffla bruyamment.

— Ne pourrait-on pas se contenter de quelques blinis, pour une fois... La soirée est tellement délicieuse et la brise si douce... Il n'y a que ton estomac qui crie perpétuellement famine. À ce rythme-là, tu vas nous faire de la mauvaise graisse !

Lorri jeta un regard torve vers son compagnon. Il comprenait pourquoi ce dernier ne voulait pas quitter le pont. Aude lui faisait de petits câlins. Il l'enviait un peu, surtout que Cynthia était étendue à proximité. Le travail avait été si intense, depuis leur nouvelle rencontre à Paris, qu'elle ne lui avait guère adressé plus d'attention qu'à un simple collègue de bureau. Elle l'appréciait beaucoup ; de cela, il en était certain. Mais à part ça,

quels étaient exactement ses sentiments envers lui ? Ils partageaient le même but, celui d'œuvrer pour une meilleure gestion de l'environnement. Dans ce domaine, il y avait tant à faire. L'aventure qu'ils avaient vécue ensemble, il y a quelque temps, en avait fait des complices[2], chargés d'une mission. Cette responsabilité s'opposait-elle à ce qu'un lien plus profond se développe entre eux ? Elle était drôlement attirante avec sa coiffure montée en chignon. Par-dessus les effluves marins, il sentait son parfum enivrant de vanille.

— D'accord pour les blinis, répondit-il. N'empêche, quelqu'un doit se dévouer pour les préparer, et comme tu es de corvée ce soir…

— Ça va ! J'ai compris.

— Je t'accompagne, ne fais pas cette tête, l'encouragea Aude.

— Ces deux-là sont inséparables, dit Blaise de Grands-Murs en suivant des yeux sa petite-fille.

— Oui. Et je les trouve bien assortis, approuva Cynthia. Vous ne trouvez pas ?

---

[2] Lire *Les Messagers d'Okeanos.*

— L'île de Pâques vous intéresse donc, professeur ? dcmanda Lorri, qui préférait changer de sujet.

— Comme tout site archéologique emblématique. Malgré les nombreuses études dont elle a fait l'objet, il règne encore à Rapa Nui, c'est son nom maori, une certaine part de fantastique... L'île a fait rêver bon nombre d'aventuriers de tous horizons. Moi-même, je le reconnais, la première fois que je me suis trouvé au pied des fameux *moai*[3], j'ai été très impressionné. Si une partie du voile mystérieux qui dissimule son passé a été levé, plusieurs interrogations restent en suspens.

— Comme quoi ?

Le savant se caressa le menton, puis hocha la tête de gauche à droite, ainsi qu'il le faisait lorsqu'il était perplexe.

— Le but exact de tout cela ! Vous qui n'avez encore jamais vu l'île, vous me ferez part de votre sentiment lorsque nous y serons. Des sculptures, il y en a partout. Elles représentent un travail titanesque. Mettez-vous dans le contexte de l'époque. Les tailleurs ne possèdent en tout et pour tout que des haches

---

[3] Statues.

de pierre pour sculpter leurs œuvres... C'est tout bonnement ahurissant.

— Qu'est-ce qui est ahurissant ? questionna Aude, de retour, un plateau garni dans les bras, suivie comme son ombre par le Tchippewayan chargé de bouteilles de jus et de canettes.

— Le professeur nous parle de la mystérieuse Rapa Nui, l'île de Pâques, expliqua Laurent. Si tout va bien, nous y accosterons en fin de mission.

— J'ai lu un bouquin sur cet endroit, il y a quelques années. Je ne me rappelle plus du titre, mais ce que l'auteur racontait, était assez farfelu.

— Oh ! Ce n'est guère étonnant, répliqua Blaise de Grands-Murs. Chacun y a été de ses fantasmes. Un point important de son histoire fait toujours l'objet d'une polémique, bien que la plus grande partie des scientifiques ait tranché quant à l'origine de son peuplement. L'opinion admise serait qu'elle fût peuplée par des Polynésiens venus de l'ouest. Thor Heyerdahl, l'ethnologue norvégien, a soutenu, un certain temps, une théorie opposée. Pour lui, les tous premiers Pascuans seraient les descendants de voyageurs venus d'Amérique du Sud.

— Et vous, quelle est votre opinion, professeur ? demanda Keewat, intéressé.

— Des découvertes faites par Heyerdahl, en 1956, sont troublantes. Il a mis au jour des sculptures ressemblant beaucoup à certaines pièces du Pérou… Oui, mystère…

— Ce dont nous sommes certains, intervint Cynthia Glendale, c'est que cet endroit a été le théâtre d'une catastrophe écologique. Il est cité lors des cours, à l'université. Le territoire de l'île était très limité. Jadis, elle était peuplée d'arbres et recelait des plantes vivrières sauvages en abondance. À cause d'une natalité trop élevée et de plusieurs autres raisons, plus obscures, ses habitants ont détruit complètement leur écosystème. L'équilibre a été bouleversé et la population décimée. Voilà ce qui arrive lorsqu'on ne sait pas gérer ses ressources.

— Tu as raison, Cynthia, approuva Blaise de Grands-Murs. Que ce soit par le Hollandais Jacob Roggeveen, en 1722, les Espagnols en 1770, ou CooK, quatre ans plus tard, l'île a toujours été décrite comme la plus désolée des terres qu'il leur ait été donné de contempler : une île peuplée d'une poignée d'indigènes chapardeurs, livrés à leur sort, évoluant au pied de statues monstrueuses. Que s'est-

il passé pour arriver à un tel résultat ? Ce n'est que dans les années cinquante que des fouilles archéologiques sérieuses, dirigées par Heyerdahl, y ont été entreprises pour la première fois. J'ai lu jadis le compte rendu de son expédition. Certains passages sont à mourir de rire lorsqu'il décrit les rites auxquels il a dû se soumettre pour en apprendre plus sur les Pascuans. Je crois qu'il n'aura jamais autant mangé de poulets que cette année-là…

— Des poulets ?!

— Eh oui ! Heyerdahl apprend l'existence de cavernes secrètes dissimulées sur l'île, où seraient enfermés des objets anciens susceptibles de le renseigner sur le passé. À force de persévérance et de ruse, il parvient à obtenir la situation exacte de plusieurs d'entre elles. Chaque fois, le rituel d'entrée s'accompagne de la dégustation d'un croupion de poulet, cuit sur la braise, afin d'apaiser les fantômes errants des ancêtres, les aku-aku, gardiens des lieux. Mais il n'est pas au bout de ses surprises. Les entrées desdites cavernes se révèlent toujours affreusement étroites, exigeant de lui qu'il se contorsionne comme un ver de terre dansant la hula. Il risqua même de rester à jamais coincé dans l'une d'entre

elles. En contrepartie de ses efforts, les découvertes sont là : il met au jour tout un bestiaire de pierres sculptées appartenant à la mythologie de l'île. C'est d'ailleurs dans l'une de ces cavernes que l'on découvrit les *rongo-rongo*, ces fameuses tablettes de bois gravées, dont l'écriture reste une énigme à ce jour. Il apprendra aussi l'existence, dans les temps anciens, de deux peuples : les Longues-Oreilles et les Courtes-Oreilles, qui, après avoir vécu en paix, se seraient finalement massacrés…

— Pour quelle raison ? demanda Lorri.

— Les Courtes-Oreilles étaient des tailleurs de pierre, reprit Blaise de Grands-Murs, après s'être désaltéré d'une gorgée de jus de papaye. Ils étaient les exécutants, tandis que les Longues-Oreilles, appelés ainsi à cause de leurs lobes déformés, étaient plutôt les donneurs d'ordre. Le façonnage des statues répondait à une certaine interprétation des événements de la vie courante régie, vous vous en doutez, par les dieux. Ainsi, lorsque les ressources de l'île vinrent à manquer, en guise d'offrandes, on accentua l'édification des colosses de pierre ; ils devinrent de plus en plus nombreux et de plus en plus grands. Insensibles aux turpitudes des hommes, les dieux ne répondirent pas à leurs appels. Les

Courtes-Oreilles se seraient alors révoltés en massacrant les Longues-Oreilles et en abattant bon nombre de statues... Un peu plus tard naquit un nouveau culte : celui de l'Homme-Oiseau, *Tangata-Manu*.

— Cela me dit quelque chose, intervint Aude. Le livre que j'ai lu y faisait allusion. Si mes souvenirs sont bons, au cours d'une fête rituelle annuelle, une personne était désignée Homme-Oiseau de l'année. Elle avait alors tous les pouvoirs.

— En quoi consistait ce rituel ? questionna à son tour Keewat.

— Je crois qu'il s'agissait d'une épreuve au cours de laquelle les participants devaient aller chercher un objet quasi inaccessible. Je ne me souviens plus duquel.

— Un œuf, dit Blaise de Grands-Murs en venant au secours de sa petite-fille. Ils devaient aller chercher un œuf d'hirondelle de mer. L'épreuve consistait à descendre la haute falaise, dressée en face de l'îlot de Motu Nui, là où selon la légende, le dieu Make Make, divinité suprême, aurait conduit lui-même les oiseaux de mer afin qu'ils y pondent, puis traverser le bras de mer séparant l'îlot de la falaise sur un flotteur de jonc, et ramener de cet îlot, un œuf. Attention ! Il devait être intact.

Pour couronner le tout, le bras de mer, large de deux kilomètres, où les candidats s'affrontaient, était infesté de requins. Avouez que les Pascuans aimaient se compliquer la vie, n'est-ce pas ?

— Que ne ferait-on pas pour le pouvoir, laissa tomber Laurent. Mais, pour en revenir aux colosses de pierre, sait-on, aujourd'hui comment ils ont été édifiés ?

— Thor Heyerdahl nous l'explique dans son récit, reprit Blaise de Grands-Murs, intarissable sur le sujet. Ayant obtenu la confiance et l'admiration des Pascuans par son habileté à exécuter les fouilles, il a pu assister, en direct et à sa demande, au façonnage d'un *moai*, et à l'élévation d'un autre qui, depuis qu'il avait été abattu au cours du terrible combat opposant les Longues aux Courtes-Oreilles, gisait en bordure d'une plage de l'île, à Anakena. Comment s'y prenaient-ils ? Le façonnage se faisait directement à flanc de paroi, dans la pierre volcanique, au sein de carrières d'exploitation. La principale était celle du volcan Rano Raraku. Le colosse était taillé sur toutes ses faces, sauf une, celle du dos. La sculpture terminée, cette dernière était ensuite peu à peu détachée de la paroi tandis que l'on comblait les espaces évidés

par des cales de pierre. À ces cales succédaient des rondins de bois sur lesquels le colosse était tiré. On l'amenait ainsi à proximité d'une fosse, creusée dans le sol, où il basculait. Les tailleurs pouvaient alors achever leur travail en finissant le dos de la statue. Ensuite, il ne restait plus qu'à l'amener là où elle devait être érigée, le plus souvent sur des terrasses de pierre appelées *ahu*. Cette opération demandait beaucoup d'ingéniosité. À l'aide de leviers, le colosse, couché, était hissé d'une dizaine de centimètres. L'espace entre le sol et le corps du monstre était comblé avec des pierres. Puis on recommençait l'opération sur une hauteur équivalente. L'espace libre était immédiatement rempli avec de nouvelles pierres. Et ainsi de suite, jusqu'au moment où le colosse se retrouvait pratiquement à la verticale. Il ne restait plus alors qu'à le faire basculer doucement sur son socle et à évacuer les pierres.

— Mais comment se faisait ce parcours ? coupa Lorri. Les statues pesaient des tonnes... Et les tracteurs hydrauliques n'existaient pas !

— Il existe deux théories. À vous de choisir celle qui vous plaît le plus. La première, la plus rationnelle, je ne vous le cache pas, dit que les Pascuans se seraient servis de

cordages et de milliers de rondins de bois, grâce auxquels ils ont pu tracter leurs œuvres sur des kilomètres. La seconde fait intervenir le *Mana*, force surnaturelle, dont l'invocation permettait aux colosses de se déplacer par magie... Je vois à vos sourires laquelle de ces deux théories vous paraît la plus sérieuse. Et pourtant... Lorsque l'on contemple le travail accompli, gigantesque, démesuré, on peut se demander s'il n'y a pas là-dessous quelque phénomène inexpliqué.

— En ce qui concerne les rondins de bois, reprit Cynthia Glendale, alors qu'un silence avait suivi les dernières paroles de l'archéologue, leur utilisation en grand nombre explique bien la disparition de la totalité des arbres existant sur l'île, avant que les anciens Pascuans ne succombent à la folie. L'arbre le plus courant était répertorié sous le nom de *Sophora toromiro skotsb.* Il appartenait à la famille des légumineuses et avait la particularité d'offrir un bois dur et résistant, d'où son utilisation à outrance dans le déplacement des statues. La disparition de tous ces arbres a considérablement favorisé l'érosion des sols. Conséquence inévitable : les surfaces cultivables ont été réduites à une peau de chagrin et la famine s'est installée.

— Ce n'est pas le mal dont souffrira notre ami Lorri, jeta Keewat en étouffant un bâillement. Il a ingurgité à lui seul deux tiers des blinis !

— N'oublie pas que je prends le premier quart de garde, mec. Il me faut des forces pour rester éveiller.

— Oui, il se fait tard, reconnut Blaise de Grands-Murs. Il ne nous reste plus qu'à rêver de l'île de Pâques et de ses colosses de pierre. Bonne nuit, mes enfants.

— Bonne nuit, professeur.

Laurent répondit à la cantonade aux souhaits de ses compagnons qui regagnaient leurs cabines, et accueillit, avec un soupir, le bec amical de Cynthia. La jeune femme disparut à son tour dans l'écoutille.

Resté seul, Lorri haussa les épaules. Ce n'était pas l'envie qui lui manquait de rejoindre la cabine de Cynthia. Il avait cependant horreur de s'imposer. Comment prendrait-elle d'ailleurs cette impudeur ? De toute façon, quelqu'un devait être de garde. Et c'était son tour.

Il se leva, ajusta la voilure et vérifia le cap d'un rapide coup d'œil. Lorsqu'il revint à la barre, le ciel était magnifique, dominé par la Croix du sud. Alors, il se mit à rêver. À rêver

d’une Pascuane qui aurait eu les traits d’une certaine Cynthia Glendale, et dont il serait devenu le *Tangata Manu*.

# 3

# Une escale de rêve

Au cours de la deuxième semaine de navigation, l'équipage de *La Morrigane* mit son enquête en chantier. La première phase, dirigée par Cynthia, consistait à se familiariser avec l'instrumentation scientifique, cette dernière devant permettre l'analyse de certains déchets, rejetés par les activités humaines, afin d'en prédire et d'en mesurer l'impact sur le milieu naturel. Cette première approche du travail achevée, il ne resterait plus aux membres de l'expédition qu'à la mettre en pratique au cours de collectes de données, qui, si tout allait bien, se feraient à chaque étape du périple lors de plongées en eau peu profonde, à travers les lagons et les mangroves.

Entre les heures dispensées au travail d'étude et celles exigées par l'intendance de bord, il y eut, malgré tout, des temps de relâche. Ils permirent les échanges d'idées et de vues sur bon nombre de sujets, sérieux ou non, et réservèrent, parfois, d'agréables surprises, comme l'apparition, un midi, d'un couple de baleines à bosse qui, avec majesté, croisa le cap de *La Morrigane*. Agrippés au bordage, Laurent et ses amis avaient suivi des yeux les évolutions de ces monuments de la nature que les hommes avaient failli condamner à jamais.

— Leur population a dangereusement chuté, expliqua Cynthia. La chasse en est interdite mais vous n'ignorez pas que certaines nations, sous des prétextes pseudo-scientifiques hypocrites, n'ont pas renoncé à « assassiner », désolé mais pour moi le mot n'est pas trop fort, ces êtres fabuleux.

— Leurs chants de divas donnent la chair de poule lorsqu'on les écoute, ajouta Blaise de Grands-Murs. Les avez-vous déjà entendues chanter ? C'est merveilleux.

— Celles-ci font en effet partie des plus « musiciennes ». Craquements, percussions, sifflements constituent leur langage. Parfois, vous avez raison, professeur, certaines par-

titions deviennent de véritables mélodies. Chaque membre du groupe reprend alors ces sons à l'unisson comme pourraient le faire les membres d'un orchestre.

Après un dernier jet de liquide à travers leurs évents, les mastodontes marins avaient plongé. Les navigateurs avaient alors repris le cours de leur repas avant de se consacrer à un nouveau chapitre du programme d'étude.

Un après-midi, sous un renforcement des alizés, les voiles de *La Morrigane* se tendirent soudain en la propulsant en un sprint effréné vers un groupe d'îles tout juste apparu. On délaissa alors les potentiomètres et les circuits intégrés des instruments au profit de la manœuvre. Désigné à la barre, Blaise de Grands-Murs admira la vaillance de ses jeunes compagnons dont la chorégraphie s'accorda harmonieusement avec les éléments.

Sous cette impulsion, la bande de terre vers laquelle glissait maintenant le ketch se précisa rapidement : de longs cordons sableux enrichis de palmiers, avec, à l'arrière-plan, un relief dentelé et brumeux. Keewat vint rejoindre Lorri dans la salle des cartes.

— Les Samoa, tu crois ?

— C'est bien ce qu'indique le système de positionnement par satellites. Nous y serons dans deux heures, à la fin du jour.

*La Morrigane* fendit ainsi la houle, une poignée de milles encore, avant de pénétrer dans une baie aux eaux limpides. On replia la grand-voile et la voile d'artimon. Le bateau courut lentement sur son aire avant de jeter l'ancre à quelques encablures du rivage.

Une certaine excitation régnait à bord. Les Samoa. *Une escale de rêve… Un goût de paradis.* Laurent et ses amis avaient lu pas mal de choses là-dessus. Constitué d'îlots volcaniques, ce petit territoire repose sur l'océan comme des perles sur un écrin, et la faune et la flore y sont très riches. Cynthia, au cours de l'une de ses journées de formation, avait annoncé qu'une réserve de plus de quatre mille deux cents hectares y avait été créée par les États-Unis. Si elle jugeait cette décision respectable, elle avait fait judicieusement remarquer que la pollution, elle, ne respecte pas les frontières. « Créer un parc national dans le but de protéger un écosystème ne sert pas à grand-chose si, tout autour,

on pollue sans retenue. » Tous partageaient cet avis. Les grandes nations se donnaient bonne conscience par des programmes dont elles vantaient un peu vite l'efficacité. Mais il ne fallait pas trop faire la fine bouche, c'était mieux que rien. En multipliant les programmes d'étude, en les ciblant avec précision et en les répartissant efficacement sur l'ensemble du globe, il devenait possible de mesurer l'état général de la biosphère, à l'intérieur de laquelle s'inscrivaient ces parcs nationaux, et d'en dénoncer ainsi la valeur. Outre l'échantillonnage d'eau et le relevé des espèces indigènes, Cynthia avait planifié, à l'ordre des prochains jours, une chasse aux *Acanthaster planci*, ces étoiles de mer dévoreuses de corail, apparues un peu partout, et dont on soupçonnait la prolifération comme résultant des activités humaines.

— On dirait qu'il y a une fête qui se prépare, dit Aude en désignant le village bâti par-delà la plage. Vous voyez ces feux qu'on allume ?

— Chouette ! s'exclama Cynthia. Je file mettre une tenue adéquate.

— Quelle bonne idée ! Je t'accompagne, s'empressa d'ajouter la jeune Auvergnate.

— Et nous ? fit Lorri avec une mimique.

— Nos pagnes fidjiens feront très bien l'affaire, décida Keewat.

— Quant à moi, je me contenterai de ma saharienne, dit à son tour Blaise de Grands-Murs. Nous ne sommes pas à la cour, après tout. Ah ! Ces filles !

Lorsqu'elles revinrent, les filles en question eurent droit à des sifflets admiratifs. Chacune avait revêtu un carré d'étoffe de couleur rouge et blanc, noué à la taille, et un soutien-gorge de même ton, laissant apparaître leur peau bronzée par la vie au grand large.

— J'espère qu'on pourra danser. Alors, messieurs, ce canot, c'est pour aujourd'hui ou pour demain ?

Une fois débarqués, ils allèrent à la rencontre d'une trentaine d'hommes, femmes et enfants, aux ventres et aux membres ornés de tatouages.

— Nous demandons l'autorisation de mouiller dans votre baie, dit en anglais Blaise de Grands-Murs à un homme ventripotent. Est-ce possible pour quelques nuits ?

— Soyez les bienvenus. Nous acceptons. Voulez-vous vous joindre à notre fête ?

— Voilà une invitation qui ne se refuse pas, mon bon ami.

En signe d'amitié, plusieurs Samoanes leur déposèrent un collier de fleurs d'hibiscus sur les épaules.

— Ben moi qui croyais que ça n'existait qu'au cinéma ! laissa tomber Lorri, enchanté par l'accueil.

— J'appelle ça le respect des traditions, lâcha en écho Keewat, charmé par la jolie indigène qui lui avait fleuri le cou.

— Hé ! t'excite pas, coco ! railla Aude en décochant à son copain un coup de coude dans les côtes. Si tu n'es pas sage, tu retournes au ketch, compris ?

Ils éclatèrent de rire. Le village, où errait toute une basse-cour, se composait d'abris succincts, dépourvus de murs, ouverts sur la brise du large. Pour garantir un semblant d'intimité aux différentes familles qui y logeaient, ils étaient bordés de buissons d'hibiscus et de frangipaniers odorants. Au-delà du cercle des habitations, le regard rencontrait ces grands palmiers, tant de fois décrits, dont les feuilles bruissaient doucement sous la brise du soir.

— Cet homme doit être le *matai* du village, le chef, expliqua Blaise de Grands-Murs en désignant leur guide.

Ils furent invités à s'asseoir sous une construction plus spacieuse que les autres, faite de gros piliers, où avaient déjà pris place un certain nombre de Samoans. Le reste des villageois finit de se répartir selon un ordre qui ne semblait pas dû au hasard.

— Les gens que vous voyez assis devant les piliers, souffla l'archéologue à voix basse, sont les chefs-orateurs. Nous sommes ici sous le *fono*. On y débat de divers problèmes de la vie de tous les jours. On y organise également des fêtes ou des cérémonies.

À voix haute, il fit rapidement les présentations et expliqua le but de leur expédition.

Le silence se fit, et une jeune femme, vêtue du traditionnel *lavalava*, ce carré d'étoffe que Cynthia et Aude avaient si bien imité, s'avança vers l'estrade où se tenait le chef des villageois. Elle se mit à rassembler plusieurs ingrédients placés autour d'elle, puis les jeta dans un bol de terre.

— Que fait-elle ? murmura Lorri à l'oreille de Blaise de Grands-Murs.

— C'est une cérémonie *ava*. Ce breuvage qu'elle malaxe est destiné à ouvrir les festivités. Elle joue le rôle de *taupo*... La préparatrice, en quelque sorte. À l'intérieur du

bol se trouvent de l'écorce de poivrier et de l'eau.

Il fallut un certain temps avant que la Samoane ne transvase le contenu du bol dans plusieurs demi-noix de coco. Elle en tendit une vers le chef qui y trempa les lèvres après avoir prononcé quelques paroles en langue indigène. La noix circula ensuite, de proche en proche, dans les mains des villageois adossés aux piliers. Lorsqu'elle eut accompli un tour complet et que tous y eurent goûté, elle arriva devant les invités. La Samoane la tendit alors à Laurent qui, ne sachant que faire, attendit un signe.

— Bois, mon garçon. C'est la tradition, dit Blaise de Grands-Murs. Je te préviens, ça cogne.

Lorri fixa la jeune Samoane dans les yeux. Il comprit pourquoi les filles des îles avaient tant fait rêver les aventuriers. Elles étaient belles. Les yeux larmoyants par le feu qui envahissait sa gorge, il tendit le récipient à l'archéologue qui, après y avoir bu lui aussi, le transmit à ses autres compagnons de voyage. La Samoane se retira doucement. Soudain, le silence vola en éclats sous des roulements de tambours. Une frénésie électrique s'empara de l'assistance. Garçons et filles s'alignèrent

sur deux rangs distincts en martelant le sol de leurs pieds nus, tandis que d'autres feux de joie étaient allumés, faisant reculer davantage les ténèbres environnantes. On amena d'immenses plateaux garnis de victuailles et décorés de feuilles de palme. Alors, filles et garçons se mirent à danser et la fête explosa.

Aude et Cynthia avaient rapidement rejoint la piste de danse. Deux Samoanes vinrent se planter devant Keewat et Lorri et, ignorant leurs protestations, les traînèrent à la suite de leurs amies.

Cynthia dansait merveilleusement bien. La voir ainsi se déhancher avait tourneboulé l'esprit de Lorri. Lorsque les tambours se turent, il regagna l'abri aux piliers dans un état second. Il se jeta sur une langouste cuite sur la pierre avant de la dévorer à belles dents, sans se préoccuper des discours animés régnant autour de lui. Rassasié et calmé, il rejoignit Blaise de Grands-Murs en pleine discussion avec le chef des villageois. À la fin de la conversation, où il fut question des différences de vie entre le monde occidental et le reste de la planète, Laurent demanda :

— Peut-être, parmi vous, y aurait-il quelqu'un pouvant nous accompagner dans nos relevés et nous aider à choisir les sites les plus pertinents pour notre travail ?

— Etoha, ma fille... Elle connaît bien les lagons. C'est elle qui a préparé le *ava*. Elle vous assistera.

Cette proposition l'enthousiasma. Il en fit part aussitôt à ses jeunes compagnons qui se restauraient autour de coupes débordantes de fruits. Ils furent rejoints par Etoha.

— Mon père m'a dit que vous aimeriez que quelqu'un vous serve de guide. Si vous voulez, je peux remplir ce rôle... D'accord ?

— *Yeah* ! Voilà une excellente idée ! s'exclama Keewat en taquinant Aude du coin de l'œil.

— Qu'est-ce que tu en penses, Cynthia ? demanda Lorri.

— Je trouve également l'idée parfaite. Etoha nous guidera le long des côtes et nous choisirons les coins de prélèvements répondant aux critères d'étude. Si elle est libre, nous commencerons demain matin.

— Entendu donc, confirma Laurent après avoir reçu l'assentiment de la Samoane. Rendez-vous demain sur la plage, à huit heures.

# 4

# Drôle de malaise

Elle les attendait déjà sur la plage lorsqu'ils sautèrent hors du canot, après leur nuit passée à bord de *La Morrigane*. Laurent et Keewat tirèrent l'embarcation au sec, puis aidèrent Aude et le professeur de Grands-Murs à décharger la malle contenant le matériel.

— Nous allons commencer par une zone située à l'intérieur du parc, décida Cynthia Glendale. Peux-tu nous emmener sur un site particulièrement riche en faune, Etoha ?

— Je connais un lagon pas très loin d'ici. Deux heures de marche, à peine. Pour les plongées, vous aurez des pirogues à votre disposition.

— Parfait. Aude et moi, nous prenons chacune un sac à dos. Vous, les gars, vous transportez la malle. Pas d'objections ?

Il n'y en eut aucune. Cynthia emboîta donc le pas à la jeune Samoane, suivie bientôt par le reste du groupe. Ils marchèrent ainsi sur plusieurs kilomètres, le long de la grève, avant de s'élever sur les pentes d'une éminence volcanique couverte de forêts, au sommet de laquelle ils s'accordèrent une halte. Incorrigible bavard, l'archéologue les gratifia d'un nouveau cours :

— Etoha ne me contredira pas si je vous révèle que le mot Samoa veut dire « centre sacré »... Une légende ancienne de son peuple dit que le monde aurait commencé ici, lorsque *Tagaloalagi*, le Créateur, tira la terre, la mer et le ciel de la roche en fusion. Il y aurait ensuite placé le premier être humain.

— Vous avez raison, confirma l'indigène. Cette légende nous est transmise de génération en génération... Samoa ? Paradis !

— Peut-être bien, reconnut Lorri. Ce paysage, qui s'étend sous nos pieds, est magnifique.

— Certains anthropologues y voient une origine possible de la culture polynésienne née il y a trois mille ans, reprit Blaise de Grands-Murs. D'ici seraient partis des navigateurs à bord de voiliers à double coque, chargés de vivres, pour répandre cette cul-

ture à travers tout le Pacifique, jusqu'à l'île de Pâques.

Ils se remirent à marcher et dévalèrent le versant opposé de la colline avant de déboucher sur une plage au sable crissant, frangée de cocotiers. Elle bordait un magnifique lagon au centre duquel s'élevait un minuscule îlot. La barrière de corail apparaissait plus loin, grondante sous les vagues qui venaient s'y briser. Etoha désigna trois pirogues rangées sous un bouquet de palétuviers.

— Gagnons l'îlot, nous pourrons y plonger.

Elle prit place avec Cynthia à bord de la première embarcation, tandis que Keewat et Aude, d'une part, et Lorri accompagné de Blaise de Grands-Murs, d'autre part, grimpaient dans les deux dernières. Il leur fallut une demi-heure pour franchir le platier[1] et gagner le centre du lagon où ils déballèrent les instruments.

— Si nous profitions de cette première plongée pour effectuer une simple reconnaissance ? proposa Cynthia en se débarrassant de son short et de son tee-shirt, ce qui la laissa en maillot de bain.

---

[1] Zone de plusieurs centaines de mètres précédant le récif, peu profonde et tapissée de coraux morts.

— Allez-y, les jeunes ! approuva l'archéologue. Pendant ce temps, je terminerai la mise en place des appareils de mesure. Tout sera prêt lorsque vous reviendrez.

Les cinq amis se jetèrent à l'eau avec plaisir. Le fond madréporique était d'une telle netteté que chaque détail leur semblait à portée de main. Des bancs de poissons multicolores sillonnaient de larges champs de polypes, au gré de leur fantaisie. À tour de rôle, lorsque le manque d'air se faisait sentir, ils revenaient à la surface pour s'oxygéner et replongeaient aussitôt.

Etoha les avait menés sur un site d'une grande richesse. Faisant appel à ses lectures passées, Lorri reconnut un *chaetodon*, surnommé le « papillon des mers » à cause de ses larges nageoires voilées et zébrées, et, également, un diodon qui, surpris, se hérissa de piquants. C'est à cette particularité qu'il devait de finir bien souvent derrière les vitrines des marchands de souvenirs.

Certains habitants du récif étaient dangereux. Par exemple, le *pterois volitans*, au venin mortel, ou la murène, capable d'arracher une main sans sourciller. Pour cette raison, Lorri et Keewat ne plongeaient jamais sans être équipés de couteaux. Leurs lames

étaient bien utiles pour tenir en respect ces animaux redoutables lorsqu'ils se faisaient trop entreprenants. Et ils pouvaient toujours croiser le chemin d'un requin.

Exaltés par leur exploration marine, Aude, Etoha, Cynthia, Keewat et Laurent venaient de disparaître sous la surface pour la dixième fois, pas moins. Juste devant lui, le jeune Québécois vit la silhouette de Cynthia s'éclipser à l'angle d'un quartier de corail rouge. C'est à ce moment que tout bascula.

Il avait eu un malaise. Comment expliquer autrement ces multiples flashes lumineux qui lui avaient labouré la rétine ? Le corps tremblant, Laurent s'empressa de refaire surface. Curieusement, il lui restait de l'air dans les poumons et il n'avait pas bu la tasse. Son étourdissement n'avait donc pu être que de courte durée.

Il lui fallut une bonne dizaine de secondes avant de recouvrer toute sa lucidité, le temps que cette désagréable sensation de vibration le quitte. Il avala de grandes goulées d'air, puis ouvrit les yeux. Il ne vit pas ses compagnons. Décidé à se ressaisir au plus vite, il

replongea. Sa vue avait-elle baissé ou... Non. L'eau était devenue subitement beaucoup moins limpide. Il n'apercevait d'ailleurs plus le fond. Qu'est-ce que tout cela voulait dire ?

Il refit de nouveau surface et se débarrassa du liquide qui lui ruisselait dans les yeux. Un grand désarroi le saisit, ce qui lui fit avaler un paquet d'eau de mer qu'il recracha en toussant. Là où devaient logiquement se trouver l'îlot et la bordure de cocotiers, il n'y avait qu'une étendue d'eau grise, agitée par la houle. La côte, qui ne ressemblait en rien à celle qu'il connaissait, s'étendait à près d'un kilomètre. Plus de lagon ! À la place, de hautes falaises dont il devinait l'escarpement déchiqueté.

— Keewat ! Cynthia ! Aude !... Répondez-moi...

Mais il était seul. L'unique réponse qu'il obtint fut celle d'oiseaux de mer aux cris lugubres dans un ciel plombé. Il sentit la fatigue le gagner. Il ne lui restait plus qu'à nager et tenter de rejoindre la côte, là-bas, pour ne pas se noyer.

Par bonheur, Laurent était doté d'une solide constitution. Il se mit à nager de manière puissante et régulière. La distance qui le séparait du salut diminua inexorablement.

De forts courants s'opposèrent à lui, pourtant, lorsqu'il parvint à cinquante mètres du rivage. Il repéra une zone plate. Il redoubla d'efforts et, épuisé, à bout de souffle, il se retrouva enfin, à moitié immergé, sur un sol pierreux.

Laurent resta étendu de longues minutes, ballotté par les vagues, avant de se hisser plus haut vers la terre. Il se coucha alors, les yeux au ciel. La situation dans laquelle il se retrouvait depuis son malaise était absurde. « Restons calme », murmura-t-il. Ne pas paniquer. Surtout, ne pas paniquer. Plutôt réfléchir posément »

Maintenant, il se rappelait un peu mieux. Il avait vu Cynthia disparaître derrière le pan de corail rouge, puis un éclair insoutenable l'avait aveuglé. L'obscurité s'était faite dans sa tête, peuplée de flashes étranges. Il avait eu la sensation que son corps… s'était réduit à l'épaisseur d'une simple crêpe pour finir par perdre toute consistance matérielle. Après un laps de temps qu'il ne pouvait préciser, le processus s'était inversé. Il avait repris conscience. Quelque chose s'était passé. Un phénomène physique qu'il ne pouvait expliquer.

Lorri se redressa sur un coude et étudia l'environnement autour de lui. La grève n'était pas très étendue, une centaine de mètres,

maximum. Soudain, son attention fut attirée par la silhouette d'un individu dont les longs cheveux volaient au vent. En un clin d'œil, il fut debout. C'était Keewat.

— Ohé ! Ohé ! Par ici, *old chum* ! hurla-t-il à pleins poumons.

Emporté par la brise et le ressac, son cri n'avait pas dû porter bien loin, mais ses gesticulations l'avaient signalé à son compagnon d'aventures. Ils furent bientôt l'un en face de l'autre à s'envoyer de grosses bourrades dans les côtes.

— Par *Yédariyé*, le Grand Esprit, qu'est-il arrivé, tu peux me le dire, Laurent ?... Je nageais entre deux eaux, à l'intérieur du lagon, tu le sais, et je me suis retrouvé tout à coup à deux mètres au-dessus de ce sol sur lequel je me suis écrasé. J'ai failli me casser le cou !

— Il m'est arrivé une chose semblable. À part que j'étais toujours dans l'eau... mais à plus d'un kilomètre de... cette côte.

— Où sommes-nous ? Ce décor n'est plus celui des Samoa.

— En tout cas, il ne lui ressemble plus. Un phénomène inexpliqué s'est produit et nous a parachutés ici... À propos, as-tu aperçu les filles ?

— Nulle part. Enfin, pas dans les environs immédiats. Tu penses qu'elles ont…

— … été victimes du même phénomène ? Aucune raison pour qu'il en soit autrement. Nous étions tous les cinq dans un périmètre pas plus grand qu'un mouchoir de poche… Si j'étais fou, je dirais que nous avons été aspirés par un Canadair, puis lâchés dans le coin. Mais je ne vois pas d'incendie… et ce que je viens d'avancer est complètement absurde.

— Sans compter que ton Canadair aurait aspiré par la même occasion le lagon au complet ! … Mince ! Le professeur ?

Lorri se passa la main dans la chevelure et s'ébroua.

— J'espère qu'il ne lui est rien arrivé de fâcheux…

— Si tu veux mon avis, il faut immédiatement rechercher nos amis. J'ai comme un mauvais pressentiment.

Ils explorèrent la zone pendant plus d'une heure sans découvrir la moindre trace d'une présence. Ils scrutèrent également l'océan, avec l'espoir d'apercevoir l'un d'eux, mais en vain. De chaque côté de la grève, les hautes falaises semblaient vouloir les écraser sous leur énorme masse. Quelle était cette terre

mystérieuse où ils avaient échoué ? Plusieurs oiseaux noirs traversèrent le ciel. Signe d'un mauvais présage ?

# 5

# Une terre mystérieuse

Le ciel s'était peu à peu vidé des cumulonimbus qui l'encombraient. Il ne présentait plus, maintenant, que quelques effiloches grisâtres en train de s'assombrir rapidement avec la tombée de la nuit.

Laurent et Keewat avaient parcouru une seconde fois les moindres recoins de la plage, puis avaient attendu, une angoisse grandissante au cœur à mesure que le temps passait, que la mer, d'une façon ou d'une autre, leur rendît leurs amies. Il était trop tard, désormais, pour escalader les falaises dans le but d'élargir leur champ de vision. Tout ce qu'il leur restait à faire, c'était de gagner cette anfractuosité qu'ils avaient repérée au cours de leurs recherches et qui, pour les heures à venir, leur offrirait un abri, faute de mieux.

— Tu y comprends quelque chose, toi, Lorri ? demanda le Tchippewayan, le regard perdu vers le large, lorsqu'ils y furent installés.

Au ton de sa voix, Laurent devina que son compagnon était inquiet. Aude avait disparu et il se faisait du souci.

— Absolument rien. Mais ce que je sais, c'est que nous ne devons pas perdre le moral. Il y a forcément une explication rationnelle à ce qui nous arrive.

— Tu en es certain ? Dis-moi alors comment nous sommes arrivés ici ?... D'ailleurs, où sommes-nous ?

— Nous ne pouvons pas encore répondre à cette question. Demain, lorsqu'il fera jour, nous monterons sur la falaise et nous verrons bien... Que diable, le phénomène n'a duré qu'une poignée de secondes, à peine. Nous ne pouvons pas être bien loin du lagon !

— Non, non, Lorri. *Inkpanzé olé*... Magie... je le sens.

— Allons bon ! Voilà que tu déraillles et ce n'est pas le moment !

L'Indien fixa le Québécois dans les yeux.

— Tu as vu comme moi que ce ciel n'était plus le même... Tu as senti comme moi que la température n'était plus la même... Que

l'air n'avait plus la même odeur… Et puis, même si tu n'as pas de montre au poignet, je suis certain que tu t'es aperçu que nous sommes beaucoup plus tard dans la journée. Le soir tombe. Il me semble que lorsque nous nagions, il était près de dix heures du matin, non ?…Je ne déraille pas, crois-moi. Si tu veux que je te traduise ça en termes plus savants, je dirais que nous avons changé d'espace… et de temps. Autre latitude… Autre longitude… Tiens ! Nous avons été téléportés !

— Rien que cela ! se moqua Lorri. Nous voilà atterris dans un épisode de *Star Trek*. Bienvenue au capitaine Picard et à toute son équipe ! Tu vas me dire que cette étoile qui brille plus que les autres, là-bas, c'est le vaisseau *Enterprise*, hein !

Le Tchippewayan haussa les épaules sans répliquer. Il se renfrogna dans son silence.

— Téléportation ou pas, reprit Laurent, je te le répète, demain, nous serons fixés. En attendant, comme tu le crois, admettons que nous ne soyons plus aux Samoa. Nous sommes ailleurs. Cet ailleurs doit être habité, non ? Alors, nous serons vite renseignés.

— Sauf si nous sommes sur une île déserte… ou sur une autre planète, murmura l'Indien en se prenant la tête à deux mains.

Lorri se leva d'un bond et fit quelques pas hors dc l'excavation. Il revint, ironique.

— Pour ton autre planète, tu peux être rassuré. Il y a la lune, là, dehors. Et assez divagué, c'est bien celle que nous connaissons... Maintenant, je pense que nous devrions essayer de dormir. Le kilomètre-brasse de tout à l'heure m'a exténué... Et ne me réclame pas à manger, je n'ai rien à t'offrir.

— Si tu crois que j'ai faim... Mais d'accord pour le roupillon. Fais de beaux rêves !

Lorri s'était retourné longuement avant de pouvoir trouver le sommeil, et ce n'était pas le matelas de pierraille sur lequel il était allongé qui avait facilité les choses. Finalement, il avait sombré dans un rêve proche du cauchemar. Il tombait dans un abîme. Au-dessus de lui, il apercevait le visage, gigantesque, d'Etoha. La Samoane brandissait une baguette magique. Chaque fois qu'elle l'inclinait, elle accélérait sa chute. Et cette chute, qui n'en finissait pas, faisait siffler douloureusement l'air à ses oreilles.

Il se réveilla brusquement, le front perlé de sueur. L'air sifflait toujours.

— Que se passe-t-il ? interrogea Keewat, réveillé lui aussi.

— Ça vient de l'extérieur. Allons voir.

Les deux jeunes hommes bondirent hors de leur abri.

— C'est quoi ce truc ! ? hurla Lorri en se plaquant les mains sur les tympans, tant le bruit était assourdissant.

— C'est… c'est… l'*Enter… ter…* l'*Enterter…*, bégaya l'Indien.

Laurent fusilla son ami du regard. Non, ça ne pouvait pas être le vaisseau du capitaine Picard, c'était évident. Pourtant, là, au-dessus de leurs têtes, les survolait lentement une énorme structure qu'ils n'arrivaient pas à détailler dans son ensemble, à cause de ses dimensions.

— On dirait un aspirateur volant, laissa-t-il tomber, même s'il se rendait compte de l'absurdité de la comparaison… Un drôle d'avion, en tout cas.

L'engin disparut derrière la falaise.

— Un avion ? Sans ailes, hein ? Tu as vu ça où, toi ?

— Ben… Un hélicoptère, alors…

— Aussi gros qu'un jumbo ? … D'accord, il ne ressemblait pas à l'*USS Enterprise*.

N'empêche, c'était un OVNI, j'en suis certain. Je n'ai jamais vu un engin pareil.

— Je ne savais pas que tu étais calé à ce point en science-fiction. Si c'est un OVNI, c'est le premier que je vois, moi aussi.

Ils restèrent de longues minutes à écouter la stridence du mystérieux appareil qui, vers l'intérieur des terres, finit par s'estomper tout à fait. Ce n'était pas l'envie qui leur manquait de grimper la falaise pour en savoir davantage, mais dans l'obscurité, c'eût été prendre des risques inconsidérés. La sagesse l'emporta. Ils retournèrent se mettre à l'abri.

« Cette île, s'il s'agit vraiment d'une île, pensa Lorri, est de plus en plus mystérieuse. Allons-nous, comme dans le roman de Jules Verne, *L'île mystérieuse*, y rencontrer un capitaine Nemo à la retraite, à défaut d'un capitaine Picard ?

L'aube se leva, douce, sous un ciel rempli de grisaille. Avant de partir en reconnaissance sur les hauteurs, Laurent et Keewat décidèrent de se restaurer. Contrairement à la veille, ils avaient l'estomac dans les talons. Ils eurent

beau parcourir les environs immédiats comme des chiens en quête d'un os, ils ne découvrirent pas la moindre miette à se mettre sous la dent, juste une végétation rabougrie traduisant la plus pure des désolations. Autour d'eux, la roche sombre, d'aspect volcanique, ne faisait que renforcer ce sentiment. Ils se lancèrent donc dans l'escalade de la paroi fermant la crique, avec l'intention de gagner l'intérieur des terres.

— Pas folichon le coin, dit Lorri, lorsqu'ils s'arrêtèrent sur un promontoire d'où la vue était nettement plus étendue.

La plage de galets où ils s'étaient réfugiés, se dessinait en contrebas, entre la falaise où ils avaient posé le pied et un piton de basalte, derrière lequel se profilaient des collines tronquées. Au pied du pic, ils devinèrent l'amorce d'une forêt. Une partie de l'horizon restait bouchée par des excroissances rocheuses plus élevées. Et toujours aucun signe de présence humaine.

— J'ai l'impression qu'il va falloir se passer de pourvoirie. Pour le dépanneur, c'est râpé !

— Descendons vers le bois, proposa Keewat. Nous y trouverons bien quelque baie à grignoter. Et j'ai une de ces soifs !

Avant de quitter définitivement l'abri où ils avaient passé la nuit, par acquit de conscience, ils longèrent une dernière fois la grève. Pas plus qu'hier, ils ne découvrirent aucune trace de Cynthia, d'Aude et d'Etoha. Aucun signe non plus du professeur de Grands-Murs. Ils se demandèrent si, en fin de compte, ils n'avaient pas été les seules victimes de l'inexplicable phénomène. Dans ce cas, ils imaginaient facilement le désarroi dans lequel leurs amis avaient dû se trouver en ne les voyant plus émerger de l'eau, à proximité du récif. Probablement avaient-ils ameuté la population du village d'Etoha pour se lancer dans de vastes recherches.

Laurent qui, à plusieurs reprises, avait été le témoin de phénomènes étranges au cours de ses aventures passées, ressentait maintenant une sourde angoisse. Les paroles de Keewat n'étaient peut-être pas aussi ridicules que cela. Son étourdissement de plongée n'avait duré que quelques secondes. Cependant, il avait maintenant le sentiment qu'une éternité s'était écoulée durant ces quelques instants. C'était une impression obscure, confuse, derrière laquelle se dissimulait peut-être une horrible vérité à laquelle il ne voulait pas croire.

En marchant vers la végétation aperçue du haut du promontoire, ils passèrent au pied du pic de basalte. La côte y dessinait une deuxième anse où la mer venait mourir. Ils ne tardèrent pas à y dénicher un tas de petits coquillages et de crustacés qu'ils attrapèrent à l'aide de leurs couteaux, le seul attirail dont ils étaient encore équipés. Plus loin, ils découvrirent une poche naturelle d'eau douce dans laquelle ils s'abreuvèrent, et c'est en explorant l'orée de la forêt qu'ils purent agrémenter leur pitance de plusieurs variétés de légumes.

— Des patates douces et des ignames ! s'était exclamé l'Indien en fouillant la végétation. Accompagnées de crustacés grillés, voilà de quoi bien nous contenter.

— Reste la question du feu, laissa tomber Lorri, car nous n'avons ni allumettes ni briquet… À moins que tu ne saches… Non ? C'est pas vrai ?

— Va me ramasser du bois mort, mec. Tu vas voir de quoi est capable un Tchippewayan.

Une heure plus tard, assis devant leur barbecue improvisé, ils dévoraient leur nourriture à pleines dents. Keewat ne s'était pas vanté, deux bouts de bois mort et quelques herbes sèches lui avaient suffi pour allumer

un foyer. L'estomac rempli, ils avaient retrouvé une partie de leur entrain.

— Maintenant que nous sommes repus, dit l'Indien, que proposes-tu ?

— Explorer ce foutu coin. De là-haut, j'ai cru discerner un ancien volcan. Nous irons dans sa direction. Là ou ailleurs, de toute manière, il faut bien aller quelque part. Mais nous ne nous éloignerons pas de la côte, au cas où…

— On verrait surgir *La Morrigane*, par exemple ?

— Ouais ! c'est ça. *La Morrigane*. Ne te fous pas de moi, surtout. Disons plutôt qu'une fois passé le cap qui nous masque le reste du paysage, on y verra sans doute plus clair sur la géographie de cette terre.

Ils se mirent en route à travers une plaine poussiéreuse, composée d'une herbe haute à moitié desséchée, boursouflée çà et là par d'anciennes coulées de lave, et dont l'aspect ressemblait à la peau d'un monstrueux pachyderme. Ils marchèrent ainsi un bon moment avant de descendre le coteau d'une vallée tapissée d'arbres, au feuillage vert tendre enrichi de nombreuses petites grappes jaunes. Ces arbres étaient identiques à ceux pous-

sant en bordure le la crique où ils avaient mangé. Ils ne s'en étaient pas préoccupés. Ici, pourtant, Lorri marqua le plus profond étonnement en les contemplant.

— Ça alors !

— Ce ne sont que des arbres, mon vieux. Faut pas t'en faire pour ça !

— Ces arbres ne sont pas ordinaires, Keewat. Rappelle-toi les cours de Cynthia. Ils ne te rappellent rien ?

— Je ne vois pas où tu veux en venir.

— Des *Sophora toromiro skotsb* ! Ces arbres sont des *toromiro*. On les trouvait en abondance sur... l'île de Pâques. Ils ont disparu parce que les Pascuans les ont utilisés à outrance pour leurs statues. *Remember ?*

— Eh bien, ça prouve qu'il y en a... Par *Yédariyé* ! Nous sommes dans l'île de Pâques ! Regarde autour de toi, Lorri. Tout concorde. Ce paysage... ces falaises... maintenant ces arbres !

— Il manque juste les statues. Ton histoire ne colle pas. À moins que... Non, ce serait une catastrophe !

— Laisse-moi deviner. Nous aurions été... téléportés des Samoa à l'île de Pâques... dans le passé. C'est bien ce que tu penses, hein ?

Ce raisonnement commun les atterra. Ils se regardèrent avec des yeux qui en disaient long sur leur désarroi. Laurent se secoua.

— Non, non ! Ce n'est pas possible. Nous sommes en train de délirer comme des malades. Tu me rends dingue avec ta télé-portation. Continuons notre exploration.

— Là-bas ! s'exclama tout à coup Keewat en désignant un point devant lui. Tu les as vus comme moi, n'est-ce pas ?

— Des indigènes. Un homme et une femme, j'en suis certain. Ils ont décampé en nous voyant. Poursuivons-les !

Ils s'élancèrent à toute vitesse. Les deux compagnons, sportifs et athlétiques, par-couraient le cent mètres en un temps record. Cette apparition soudaine avait quelque peu atténué leur angoisse. Au moins, ils n'étaient plus seuls. Arrivés à l'endroit où se tenaient les inconnus quelques secondes plus tôt, ils s'arrêtèrent, perplexes.

— Fiente d'ours ! jura le Tchippewayan. Ils ont détalé comme des lapins !

— Nous les avons probablement effrayés. Mais regarde un peu, dans cette petite dépres-sion, sous nos pieds. Ça ressemble étrange-ment à un potager, non ?

— Des mûriers à papier, un bananier, des patates douces, de la maranta[1], des taros[2], de la canne à sucre, énuméra l'Indien qui n'était pas le dernier en connaissance végétale. Ces deux adeptes de la poudre d'escampette en seraient les cultivateurs que ça ne m'étonnerait pas.

Sans donner d'explication, Laurent se mit à explorer la zone de long en large. Contre un pan de roche volcanique émergeant du sol, il trouva ce qu'il cherchait.

— Et voilà l'entrée de leur habitation, triompha-t-il. Je suis certain que derrière ce boyau étroit, il y a une caverne. Reste ici pour faire le guet. J'y vais.

Keewat vit disparaître la tête de son compagnon, puis son buste et ses jambes.

— Ça va ? s'inquiéta-t-il.

— Ouais ! lui répondit Lorri d'une voix étouffée. C'est aussi étroit que la hutte d'un castor, mais je m'en tire.

Il ne s'était pas trompé. Après quelques écorchures sans gravité au niveau des épaules, il déboucha au centre d'un espace plus vaste,

---

[1] Plante tropicale à rhizomes dont on extrait une fécule comestible appelée *arrow-root*.

[2] Plante à tubercules comestibles.

même si les dimensions en restaient réduites. La caverne, d'origine naturelle, mesurait environ quatre mètres de diamètre. À certains endroits, on y avait posé des pierres pour en masquer les irrégularités. Cinq d'entre elles, disposées sur chant, formaient un four où rougeoyaient des braises. Une lumière diffuse descendait de la voûte par un puits circulaire qui, dans le même temps, faisait office de cheminée d'aération. À l'intérieur d'une niche, il trouva de petits ustensiles : fragments de coquillages, aiguilles, hameçons taillés dans de l'os, dents de requin, petite herminette au tranchant de pierre, éclats vitreux et polis... Dans une autre, des sculptures sur bois représentant des êtres humanoïdes décharnés, aux lobes d'oreilles allongés et aux crânes décorés de gravures : poules, tortues, poissons divers et drôles de lézards. Il resta en arrêt devant une paroi ornée de curieuses effigies qui, aussitôt, lui en rappelèrent d'autres, très connues : les *moai* de l'île de Pâques.

— Décidément, murmura-t-il, on y revient toujours. On doit en avoir le cœur net.

Ne voulant pas inquiéter davantage son ami, dont un appel, fortement atténué par

l'épaisseur de la roche, venait de résonner, Laurent Saint-Pierre regagna l'air libre.

— Alors ? fit l'Indien, impatient de savoir ce qu'il avait trouvé.

— J'ai vu juste. Il s'agit bien d'une habitation.

— Tu en fais une tête ! Tu as rencontré le diable ?

— Tout, à l'intérieur, prouve de plus en plus notre théorie. Nous devons savoir une bonne fois pour toutes si nous sommes oui ou non dans l'île de Pâques. Un seul moyen : monter le plus haut possible pour embrasser un plus large horizon. Nous reprenons le chemin vers ce volcan dont je t'ai parlé.

— Tu ne m'as toujours pas dit ce que tu avais vu.

— Entre autres choses, des dessins imitant les fameux colosses de pierre dont nous a si bien parlé de professeur de Grands-Murs.

— Par le Grand-Esprit ! Nous sommes foutus ! laissa tomber le Tchippewayan en s'appuyant contre le tronc d'un arbre. Comment allons-nous retourner chez nous ?

— Ne te pose pas de questions auxquelles tu ne peux pas répondre, c'est un conseil. À partir de maintenant, nous allons réfléchir de la manière la plus cartésienne qui soit,

sans nous laisser diriger par notre imagination. Dieu sait si nous en avons à revendre, tous les deux. Elle risque de nous mener sur des chemins hasardeux.

— Tu as raison. En route.

# 6

# Une effrayante constatation

L'ascension du volcan se révéla assez éprouvante pour leurs pieds nus. Ils passèrent ainsi plus de deux heures à éviter tant bien que mal les pièges d'une roche volcanique érodée par mille et un vents. Le spectacle qu'ils découvrirent au sommet leur fit cependant bien vite oublier leurs petites misères corporelles. Stupéfaits, ils se dissimulèrent derrière l'arête d'un bloc de lave.

— Cette fois-ci, plus d'erreur, murmura Keewat. Nous sommes bel et bien à l'île de Pâques. Reste à savoir quand.

Lorri n'en croyait pas ses yeux. Là, en contrebas, des centaines d'individus travaillaient comme des fourmis, à extraire des flancs de la montagne, d'énormes quartiers de tuf

volcanique qu'ils façonnaient en colosses de pierre. Le martèlement des haches leur parvenait et résonnait de manière ininterrompue. Tout cela ne faisait pas partie d'une mise en scène, il le savait. Une effrayante constatation s'imposait. Ils avaient été victimes d'un accident spatio-temporel qui, en un clin d'œil, les avait propulsés à trois mille kilomètres de l'endroit où ils nageaient tranquillement… Et sans doute plusieurs siècles en arrière.

Soudain, un grondement sourd couvrit les coups des outils durant plusieurs secondes.

— Une statue semble achevée, reprit l'Indien en désignant un point précis de la carrière. Je suis curieux de savoir ce qui va se passer maintenant… En tout cas, la théorie des rondins de bois est confirmée. Le *moai* a bel et bien roulé jusqu'au bas de la pente…

— Qui doit être marécageux. Le colosse y a provoqué une sacrée gerbe de boue !

Il se demandait, lui aussi, comment la statue qui pesait des dizaines de tonnes, allait être transportée hors du cratère. La réponse prit d'abord la forme d'un sifflement bizarre qui retentit au loin. Ce sifflement augmenta d'intensité, à tel point qu'il n'y eut plus de doute quant à son origine. Les deux amis se dévisagèrent.

— L'OVNI ! fit Keewat, effrayé. Nous l'avions oublié, celui-là !

Aussi peu rassuré que son compagnon, Laurent se cacha davantage lorsqu'il vit surgir l'engin qui, après avoir perdu de l'altitude, s'immobilisa à la verticale du *moai* prisonnier de sa gangue de boue. Il ressemblait à une gigantesque abeille qui aurait été privée d'ailes. Tous les deux assistèrent alors à un prodige. Aspirée par une force inconnue, la statue s'éleva doucement dans les airs. Lorsqu'elle ne fut plus qu'à une vingtaine de mètres de l'OVNI, elle s'immobilisa, puis l'engin et son fardeau disparurent par-delà la crête.

— Ben, ça alors ! laissa tomber le Québécois. Tu as vu ce truc ?

— J'étais en dessous de la vérité lorsque j'avais évalué les dimensions de ce vaisseau. Il est plus gros qu'un jumbo-jet.

— Attends un peu, poursuivit Laurent. Qu'est-ce que tout cela veut dire ? Qui pilote cet engin ? Même au XXIe siècle, la technologie n'est pas aussi avancée.

— Ça veut dire, mon vieux, que les mecs aux commandes sont bigrement calés.

À l'intérieur du cratère, un fait nouveau mit fin à leur réflexion. De petits appareils en forme d'assiette renversée venaient d'apparaître,

surgis d'on ne sait où. À leur vue, les tailleurs de pierre cessèrent le travail et se regroupèrent à proximité du marécage.

Laurent et Keewat assistèrent alors à un drame. Pour une raison inconnue, un ouvrier se mit à courir dans une direction opposée au lieu de rassemblement. En bourdonnant, un des appareils piqua vers lui et laissa échapper deux rayons de lumière pourpre qui frappèrent de plein front le malheureux. Du fuyard, il ne resta qu'une volute de fumée.

— Bon sang ! hurla Lorri. Mieux vaut ne pas rester ici. Filons.

— Attention ! Il y en a un qui nous a repérés, cria à son tour Keewat.

Ayant pris leurs jambes à leur cou, ils dévalèrent le flanc de la montagne, et cette fois, sans se préoccuper de leurs pieds. Le Tchipewayan, muni d'un sixième sens, écarta violemment son compagnon, tandis qu'il se jetait lui-même de côté. Une explosion retentit à l'endroit où ils se tenaient une fraction de seconde auparavant. L'air ambiant devint suffocant. Sans arrêter leur course, ils se mirent à tousser comme s'ils s'étranglaient.

— Par là ! hurla Lorri en désignant un étroit défilé, découpé dans la lave comme sous le coup d'un sabre.

Ils s'y engouffrèrent comme des boulets de canon au moment où un second rayon pourpre faisait littéralement fondre une roche en surplomb. Les mains au-dessus de la tête, ils se protégèrent des éclats de pierre qui retombaient en tous sens.

— Aïe ! Aïe ! Ça brûle, gémit l'Indien en se frottant vigoureusement le bras, là où une goutte de roche en fusion l'avait touché.

L'agresseur passa au-dessus du défilé en vibrant. Ils se réfugièrent dans un coin d'ombre pour reprendre haleine.

— Ton bras, ça va ? haleta le Québécois.

— Les salauds ! explosa Keewat. Nous ne leur avons rien fait ! Tu parles d'un accueil !

— Tu as raison. C'est plutôt l'enfer, ici.

Lorri essaya de localiser le terrible engin dont le bruit se faisait de nouveau entendre.

— Ils nous cherchent. Nous ne pouvons pas nous éterniser ici. Courons.

Ils bondirent vers le fond du défilé. Le sol se mit à descendre de manière si accentuée qu'ils perdirent l'équilibre, avant de basculer dans une cavité qui sembla les aspirer.

La chute fut de courte durée. Ils s'enfoncèrent dans une eau noire, puis refirent surface, sains et saufs.

— Quel plongeon ! s'exclama Keewat en recrachant une gorgée de liquide.

— Peut-être, mais salutaire. Sans ce trou dans lequel nous sommes tombés, nous étions bons pour la rôtissoire. Je n'ai jamais aimé les merguez.

— Une chance que nous n'ayons pas troqué nos maillots de bain pour des smokings. Ils seraient dans un bel état.

— Je vois que ton humour est revenu. C'est bon signe. Un moment, tu m'as fait peur.

— Qui avait raison ? Je t'avais bien dit que nous avions subi une téléportation.

— Une téléportation suppose qu'il y ait un téléporteur et des techniciens pour le faire fonctionner. Je n'ai rien vu de semblable jusqu'ici... J'opte plutôt pour un phénomène physique naturel. Nous nous trouvions au mauvais moment, au mauvais endroit. Pas de chance ! La Nature a encore de quoi nous surprendre, la preuve.

— Quoi qu'il en soit, inutile d'espérer ressortir par où nous sommes arrivés. C'est bien trop haut.

Au-dessus d'eux, un puits de lumière laissait entrevoir un pan de ciel.

— Au moins, nous sommes hors d'atteinte, reprit Lorri en regardant autour de lui. Allons nous mettre au sec sur cet épaulement, là-bas.

La fraîcheur de l'eau leur fit oublier le feu brûlant de leurs pieds meurtris. Ils restèrent allongés quelques minutes, le temps de se remettre de leurs émotions.

— Notre aventure a quelque chose de vraiment étrange, murmura Keewat, comme s'il se parlait à lui-même. À bord de *La Morrigane*, cette île était le sujet de beaucoup de nos discussions. Elle était le but ultime de notre périple à travers le Pacifique. Voilà que nous nous y trouvons comme sous l'effet d'un coup de baguette magique... Paf! D'un mauvais coup de baguette magique...

Cette réflexion rappela à Lorri le cauchemar qu'il avait fait la nuit précédente. Il chassa de son esprit cette idée saugrenue qu'Etoha pourrait être à l'origine de la situation abracadabrante qu'ils vivaient depuis vingt-quatre heures. La plupart des contrées d'Océanie possédaient encore des chamans, mais de là à imaginer que la Samoane était une méchante sorcière...

— Moi, je n'ai pas l'intention de moisir ici, décida tout à coup l'Indien en se levant. S'il existe une sortie à cette bassine de pierre, ce que j'espère, on doit la trouver.

L'issue souhaitée se révéla sous la forme d'une faille, à moitié envahie par l'eau, trouant une des parois. Keewat y passa les épaules, puis le corps entier.

— Fait noir comme dans une mine de charbon, mais on dirait qu'elle se prolonge assez loin, dit-il en rebroussant chemin. On y va ?

— Après vous, répondit Lorri, qui n'y croyait pas trop.

Le peu de lumière qui parvenait à l'entrée de la faille disparut rapidement. Ils avancèrent à tâtons, avec moult précautions pour ne pas se fracasser le crâne, passèrent un rétrécissement qui les obligea à se contorsionner, puis retrouvèrent une progression plus libre.

— Ça descend, prévint le Tchippewayan. Atten… tion… Ahhhhhhh !

Tout comme son compagnon d'infortune, Lorri perdit pied. Il se retrouva sur le dos à glisser de plus en plus vite, sans pouvoir arrêter sa chute. Devant lui, il entendait les cris de Keewat que la peur lui fit imiter en

écho. Brusquement, il ne sentit plus rien sous lui. Il battit des bras et comprit qu'il tombait dans le vide. Il eut à peine le temps d'apercevoir la lumière du jour, sourdant par une étroite boutonnière, qu'il percuta une nouvelle surface d'eau.

— Et de deux ! railla l'Indien en refaisant surface. On se croirait à Disneyland !

— Je préfère la flotte à la roche, se réjouit Lorri en battant des pieds. Au moins, ça nous évite de nous casser les os. Mais, si je ne m'abuse, la sortie n'est pas loin. Cette boutonnière, par où pénètre le jour, doit déboucher à l'air libre.

Le Québécois ne se trompait pas, car quelques minutes plus tard, ils parvinrent à l'extérieur, sur le flanc du volcan. Ils ignoraient si l'engin meurtrier était encore à leur poursuite, aussi ne perdirent-ils pas un instant. Ils se remirent à courir et retrouvèrent le bois de *toromiros* avec soulagement.

— Et maintenant ? demanda le Tchippewayan en s'asseyant sur le sol et en se massant le bras, là où la brûlure le faisait de nouveau souffrir. On fait quoi ?

— Nous allons essayer d'entrer en contact avec les indigènes aperçus tout à l'heure. C'est le seul moyen d'en apprendre plus sur

ce qui se passe ici. À mon avis, inutile de tenter une approche du côté des tailleurs de pierre. Je ne tiens pas à servir de cible une nouvelle fois. Si tu te sens d'attaque...

Le plan de Lorri était simple : se dissimuler à proximité de la caverne qu'il avait explorée et surprendre d'une manière ou d'une autre ses occupants. Pour cela, il fallait retrouver son emplacement. Il fut obligé de se fier au talent de pisteur de son ami qui, en véritable Indien, excellait dans ce domaine. Mais l'Amérindien était-il au mieux de sa forme ?

Beaucoup de questions taraudaient l'esprit du Tchippewayan, dont la plus importante et la plus douloureuse concernait le sort d'Aude. Ce n'était pas qu'il ne se souciait pas des autres, mais la jeune femme comptait beaucoup pour lui. Depuis qu'ils s'étaient rencontrés, ils étaient liés par un sentiment allant bien au-delà de l'amitié. Quant à Lorri, il savait bien que lui et Cynthia avaient des atomes crochus. Il trouvait un peu bizarre que ces deux-là n'extériorisent pas davantage leur attirance mutuelle. Mais, après tout, ce n'était pas ses affaires. Aude, Cynthia, Etoha et le professeur, avaient-ils subi un sort identique au leur ? Dans ce cas, s'en étaient-ils tous sortis ? Avec la menace qui pesait dans

l'île, il y avait de quoi être de plus en plus inquiet.

— Ce que je ne comprends pas, dit-il, c'est la raison pour laquelle ce pauvre type s'est fait zigouiller ?

— Le tailleur de pierre ? Parce qu'il tentait de fuir, c'est évident. Si tu veux mon avis, les gens d'ici sont tombés sous la coupe d'envahisseurs venus je ne sais d'où. J'ai beau retourner le problème dans tous les sens, j'arrive toujours à la même conclusion. Ces envahisseurs ne peuvent être qu'extraterrestres... Ben oui. C'est énorme, mais c'est la seule explication valable. Les moyens dont ils disposent le prouvent. Si nous raisonnons de manière sensée, nous sommes dans l'île de Pâques au XVIIIe siècle, c'est-à-dire l'époque où le façonnage des statues battait son plein.

— Jusqu'ici, pourtant, en dehors du cratère, nous n'en avons vu nulle part.

— Tu as raison. Ce détail m'a échappé. Selon le professeur, il y en avait partout... Cela voudrait dire...

— Que nous sommes remontés dans le passé bien au-delà de ce siècle.

— Quelle différence ça fait, de toute manière, hein ? Tout ce que je sais, c'est que

XVIII^e^ ou pas, les humains n'ont jamais disposé d'une telle technologie... Mais nous ferions mieux de la boucler si nous ne voulons pas mettre en fuite une seconde fois nos deux lascars.

— Ouais ! Surtout que nous approchons. Suis-moi.

# 7
# Les iguanes

La végétation du sous-bois, composée de graminées, bananiers nains et jeunes mûriers, permettait de progresser avec facilité. D'un tronc de toromiro à l'autre, les deux aventuriers espéraient approcher de la caverne habitée sans se faire remarquer. Soudain, Keewat, qui marchait en tête, se figea comme un bloc de glace. Lorri le bouscula.

— Tu pourrais prévenir quand tu freines ! Que se passe-t-il ?

— Chut ! répondit l'Indien en mettant l'index devant sa bouche et en roulant des yeux effarés. Regarde !

Laurent déplaça légèrement la tête pour observer la zone du sous-bois ouverte devant eux. Il eut un choc. Son cœur se mit à cogner.

Là, à cinquante mètres à peine, allaient et venaient des êtres cauchemardesques. Ils étaient vêtus de combinaisons argentées sur lesquelles apparaissait un appareillage complexe. Mais ce qui retenait surtout l'attention, c'étaient leurs visages, si l'on pouvait appeler ainsi ces faces camuses et reptiliennes, à la peau écailleuse vert-de-gris, où s'animaient des yeux globuleux, occultés de temps à autre par une paupière boursouflée. Le nez était inexistant, limité à de simples orifices ; la bouche, large et dépourvue de lèvres, laissait entrevoir des dents acérées. Au nombre de quatre, les créatures s'éloignèrent, avalées par les fourrés.

— Des lézards en combinaison ! Dis-moi que je rêve ! souffla Lorri.

— Des iguanes, plutôt.

— Lézards ou iguanes, c'est quoi encore ce truc abracadabrant ?

Il y eut tout à coup une vibration de l'air, et, à travers la ramure des *toromiros*, les deux amis distinguèrent nettement la silhouette d'un engin volant qui disparaissait.

— Par *Yédariyé* ! s'exclama le Tchippewayan. Ce sont eux les pilotes des assiettes renversées.

— Ils nous cherchaient, j'en parierais ma chemise… Ça alors !

— Ta chemise ? Il t'en faudrait au moins une.

Lorri jeta un œil sur lui. En dehors de son bermuda de bain, à la mode hawaïenne, et de son couteau de plongée, il était nu. Piètre équipement pour affronter de tels monstres.

— Voilà qui n'arrange pas nos affaires, poursuivit l'Indien, une ironie non feinte dans la voix.

— Ça aurait pu être pire. Imagine si l'on s'était retrouvés au pôle… Des extraterrestres. C'étaient des extraterrestres… Tu te rends compte de ce que ça veut dire. Les extraterrestres existent !

— Du calme, Lorri. Tu as vu comme moi comment ils nous ont accueillis. Ne l'oublie surtout pas. Bon, de toute manière, ils sont partis. Pfuiiit ! Nous l'avons échappé belle… Revenons à notre plan. La caverne ne doit pas se trouver à plus de trois cents mètres devant.

— Alors, on y va.

Keewat ne perdait jamais son sens de l'orientation. Ils retrouvèrent la petite dépression aménagée en potager et, à quelques pas,

dissimulée par un rideau de verdure, l'entrée de la caverne.

— De deux choses l'une, murmura Lorri. Ou ils sont à l'intérieur, ou ils n'y sont pas. Dans un cas comme dans l'autre, on se planque et on attend.

Le siège ne dura pas plus d'une heure, une heure que le Québécois passa l'esprit agité par la rencontre extraordinaire qu'ils venaient de faire, avec tout ce que cela impliquait. Tout à coup, ils virent une main écarter le rideau de feuillage, suivie par le bras et le corps d'une jeune indigène à la peau hâlée. Pour tout vêtement, elle ne portait qu'un pagne tissé autour des hanches. Le rideau s'écarta une nouvelle fois pour laisser apparaître un adolescent, quasiment nu, lui aussi, à la chevelure ramassée en chignon. Tous les deux avaient les lobes d'oreilles déformés et troués. Sans s'être aperçus qu'ils étaient épiés, ils se dirigèrent vers le potager.

Lorri sortit de sa cachette avec des gestes apaisants.

— Je ne vous veux pas de mal. N'ayez pas peur.

Pris de panique, le garçon et la fille voulurent fuir, mais Keewat leur barra le chemin à son tour. Il se passa alors une chose inat-

tendue. Tous deux se prosternèrent aux pieds des deux aventuriers, plus précisément devant ceux de Lorri, en récitant un flot ininterrompu de paroles dans lequel le mot Make Make revenait comme une litanie.

— Ma parole, ils te prennent pour un dieu, ironisa le Tchippewayan. S'ils savaient, les malheureux.

— C'est peut-être à cause de mes cheveux. Ils n'ont peut-être encore jamais vu d'homme blanc aux cheveux blonds.

— Comme si c'était extraordinaire, fit l'Indien en s'agenouillant devant les autochtones. Nous, amis... Nous ne vous voulons pas de mal. Moi, Keewat... Lui, le *twit* aux cheveux blonds, Lorri... LORRI. Toi, comment ?

Apaisée, la jeune Pascuane chercha à comprendre ce qu'on lui disait. Son visage s'éclaira.

— Vaïhou ! VAÏHOU !... Kao ! dit-elle ensuite en désignant son compagnon.

S'enhardissant lui aussi, Kao se releva. Il énonça :

— Kao... Vaïhou... Lorri... Twit... Keewat... Kao, Vaïhou, Lorri, Twit, Keewat.

— Non, pas *twit*, corrigea Laurent en pestant contre son ami. Ah, c'est brillant ! Moi, pas Lorri Twit... Lorri tout court.

— Lorri… tout court, répéta l'adolescent.

— Nous n'en sortirons pas, fit le Québécois en se prenant le front à deux mains.

— Lorri Twit… Moi, je trouve que c'est un joli nom, dit Keewat en éclatant de rire.

Laurent approcha les doigts de la main à plusieurs reprises devant sa bouche et fit comprendre qu'il désirait manger. Là, il n'y eut pas de souci de traduction. Vaïhou indiqua l'entrée de la caverne. Tous s'y engouffrèrent.

Les émotions, ça creuse, c'est bien connu. Laurent et Keewat dévorèrent comme des ogres les légumes cuits par Vaïhou en leur honneur. Ils terminaient leur repas lorsque Kao, qui s'était absenté, revint en montrant les signes d'une grande agitation. Les deux naufragés ne comprenaient rien aux paroles échangées entre les Pascuans, sauf qu'il se passait quelque chose dehors.

— Je vais jeter un coup d'œil, décida Lorri.

Il se faufila dans l'étroit boyau de sortie, puis, avec précaution, risqua un regard à

l'extérieur. Il reconnut immédiatement la personne qui marchait dans le bois de *toromiros.* Une joie immense l'envahit. Ce bikini rouge ne pouvait appartenir qu'à Etoha. Il courut à sa rencontre.

La Samoane sauta dans ses bras lorsqu'ils se rejoignirent.

— Je suis si heureuse de te retrouver, dit-elle. Je croyais ne plus jamais te revoir… Où sont tes compagnons ?

— Ici, il n'y a que Keewat, répondit Lorri, une pointe de tristesse dans la voix. Mais si tu es là, toi, il n'y a aucune raison pour qu'on ne retrouve pas les autres. J'en suis sûr !… Explique-moi d'où tu viens… Attends… Non, pas ici. Suis-moi, je vais te présenter de nouveaux amis.

Il entraîna la jeune fille à l'intérieur de la caverne. Affamée, elle se jeta sur la nourriture qu'on lui présenta. Lorsqu'elle fut rassasiée, Keewat la pressa de raconter ce qui lui était arrivé. À vrai dire, pas grand-chose de plus qu'eux. Elle s'était également retrouvée sur la côte de l'île, de manière inexplicable. Ça l'avait effrayée. Elle avait hurlé. Par peur, elle n'avait pas quitté l'endroit où elle avait échoué. La nuit était venue et, avec elle, une angoisse de plus en plus oppressante. Elle

avait somnolé, recroquevillée à l'abri d'un rocher. Le jour s'était levé. Elle était partie à leur recherche. Un grand avion sans ailes était passé dans le ciel en faisant un bruit assourdissant. Il venait du large, là où s'élevait un phare très haut. Elle s'était cachée. Au bout d'un certain temps, comme plus rien ne se passait, elle avait repris sa marche. Elle avait alors vu, sur une butte assez éloignée, d'immenses statues dressées. Depuis longtemps, elle avait compris qu'elle n'était plus aux Samoa. Ces statues, malgré la distance, elle les avait reconnues : les *moai* de l'île de Pâques. La consternation passée, elle s'était mise en quête de nourriture. Un bois s'étendait à quelques kilomètres. Là, elle avait vu des monstres, avec une drôle de machine volante. Terrorisée, elle s'était de nouveau cachée. Elle les avait vus remonter à bord de l'engin qui s'était élevé en sifflant avant de disparaître. Longtemps, elle était restée prostrée. Puis, finalement, elle avait repris sa marche à travers la forêt. Il y poussait des plantes qu'elle connaissait. C'était là que Lorri l'avait aperçue.

— Nous ne pouvons pas expliquer ce qui nous est arrivé, dit Laurent. Je ne t'apprendrais rien en te révélant que nous sommes sur l'île de Pâques. Tu l'as deviné. Tu ne sais pas tout,

malheureusement. Même après ce que je vais ajouter, tu ne dois pas perdre espoir. Nous allons nous serrer les coudes. Nous devons impérativement savoir ce que sont devenus Aude, Cynthia et le professeur de Grands-Murs… Tu comprends ?

Lorsqu'il lui révéla qu'ils se trouvaient probablement plusieurs siècles dans le passé, elle eut toutes les peines du monde à ne pas éclater en sanglots. Ils lui prirent les mains pour la consoler.

— Tu peux déjà nous aider, reprit Lorri. Kao et Vaïhou, d'après Keewat, parlent une langue proche du maori. Ils vont nous apprendre ce qui se passe ici. Du moins, je l'espère. Peut-être pourrais-tu nous servir d'interprète ?

— Je vais essayer, dit-elle en se reprenant.

L'Indien avait vu juste. Un dialogue relativement aisé s'installa entre les occupants de l'habitation et la jeune Samoane.

— Démons verts, pas bons, répéta à plusieurs reprises Kao. Eux venir avec oiseaux sans ailes dans le ciel. Certains, repartir. D'autres, rester.

— Vous, venir des étoiles ? demanda subitement Vaïhou.

Lorri secoua la tête. Il ne savait absolument pas par quel bout prendre l'explication. Il lui révéla simplement qu'ils venaient de très loin et qu'ils avaient échoué sur l'île. Lorsqu'elle voulut savoir ce qu'était devenu leur bateau, il répondit qu'il avait coulé.

— Démons verts manger frères à Kao, reprit le jeune indigène.

— Et cannibales avec ça ! s'exclama Keewat. La cerise sur le sundae !

— Les frères de Kao taillent beaucoup de statues, dit Laurent en feignant d'ignorer ce nouvel élément peu encourageant. Pourquoi ? Pourquoi sont-ils surveillés par les démons verts ?

— Démons verts attendre le retour du grand *moai*.

Lorri demanda une traduction plus affinée.

— Je ne sais pas ce qu'il veut dire, fit Etoha. Peut-être appelle-t-il ainsi le chef de ces… démons verts.

— Kao et Vaïhou, libres, intervint Keewat. Pourquoi n'êtes-vous pas avec les autres ?

— Nous, fuir les démons verts puis cacher ici, dans caverne.

Lorri voulut savoir si leurs jeunes hôtes avaient aperçu d'autres étrangers comme

eux, avec les iguanes. Kao et Vaïhou secouèrent la tête en signe de dénégation. Il n'était donc pas plus renseigné sur le sort de leurs compagnons. Il demanda s'ils savaient où vivaient les monstres et s'ils étaient disposés à le conduire à cet endroit. Une expression de terreur se peignit sur le visage de Kao.

— Kao et Vaïhou pas vouloir aller, dit-il en secouant de nouveau vigoureusement la tête. Sinon, démons verts manger eux.

— Nous avons des amis qui sont entre leurs mains, insista le Québécois. Nous voulons les libérer. Kao nous montrer simplement où ils vivent.

Il y eut un silence au cours duquel les indigènes s'interrogèrent du regard. Visiblement, Kao était effrayé à l'idée d'approcher les extraterrestres. Vaïhou hésitait. Elle fixait avec envie le couteau que Keewat portait à la ceinture de son bermuda. Cela n'échappa au Tchippewayan qui, en le tirant de son fourreau, annonça :

— Si Vaïhou nous mène à cet endroit, je lui donnerai mon couteau.

— Et Kao aura le mien, dit Lorri en lançant son propre poignard de plongée vers un rondin de bois dans lequel il se ficha en vibrant.

# 8
# Mission d'observation

La promesse qui venait de leur être faite encouragea les deux indigènes à donner plus de précisions à leurs hôtes sur la situation dans l'île. Selon Kao, lorsqu'une journée s'achevait, les démons verts réunissaient les tailleurs de pierre en bordure de mer, sur une plage du sud-ouest. Ce qui suivait était assez confus. Ces hommes étaient avalés par un oiseau sans ailes. Cet oiseau partait en direction d'une colonne de pierre érigée en mer. Il n'en revenait que le lendemain, à la levée du jour. Les tailleurs de pierre ressortaient alors de ses flancs pour reprendre leur travail, dans la carrière du volcan.

Kao, aidé par Vaïhou, accompagnait ses paroles de dessins au sol. Laurent et ses compagnons apprirent donc que le point culminant de l'île était le Rano Aroi et que le volcan abritant la carrière s'appelait le Rano Raraku, à quelques kilomètres seulement de la plage où, chaque soir, étaient embarqués les Pascuans.

Lorri interrogea Etoha sur un point précis :

— Lorsque tu nous as décrit ce qui t'était arrivé, tu as mentionné l'existence d'un phare géant. Serait-ce de ce phare dont il s'agit lorsque nos amis évoquent la colonne de pierre ?

— Je n'en sais rien, avoua la Samoane. Tout ce que je puis te dire, c'est qu'il s'élève en pleine mer. Avec la distance, il m'a semblé gigantesque.

— Nous ne l'avons pas aperçu, jusqu'ici. Probablement par ceque nous n'étions pas du bon côté de l'île, suggéra Keewat.

Les deux indigènes, que la méfiance avait définitivement quittés, continuèrent à se raconter. Ils étaient frère et sœur et faisaient partie du clan des Honga, dont un des membres n'était pas moins que le roi de l'île, l'*Ariki*

*mau.* Leur père était un *mata toa*, c'est-à-dire un chef de guerre. L'île était divisée en deux grands districts concurrents, celui de l'est et celui de l'ouest, dans lesquels se répartissaient les clans. Un jour, le grand *Moai* était descendu des étoiles. Il était bon et puissant, capable de prodiges. En son honneur, le roi avait ordonné qu'on édifie de grandes effigies. Plusieurs sanctuaires avaient vu le jour, les *ahu.* On y amenait de la nourriture et des sculptures sur bois ou sur pierre pour le glorifier. Le grand *Moai* était accompagné des démons verts. À cette époque, ces derniers n'étaient pas méchants. Une nuit, le grand *Moai* était reparti vers les étoiles. Il avait laissé les démons verts en compagnie de créatures géantes, polies comme de l'obsidienne, qui ne mangeaient et ne dormaient jamais. Petit à petit, une colonne de pierre s'était élevée dans la mer. Elle devint leur maison. L'oiseau sans ailes les y conduisit. À partir de ce moment, les Pascuans ne virent plus jamais les géants d'obsidienne et le comportement des démons changea. Ces derniers obligèrent Kao et les siens à travailler comme des esclaves. Ils réclamaient également des sacrifices humains au cours desquels ils mangeaient leurs victimes. Hommes, femmes et enfants furent

séparés. C'est à ce moment que Kao et Vaïhou réussirent à fuir pour se cacher.

À travers les propos des jeunes indigènes, imbibés de superstition, Lorri essaya d'y voir clair. Les Pascuans étaient tombés sous la coupe d'envahisseurs venus de l'espace. En d'autres circonstances, il n'aurait pas pris ces propos pour de l'argent comptant. Mais la situation dans laquelle il se débattait l'obligeait, cependant, à les accepter sans aucune restriction. De ses yeux, il avait vu l'engin volant. Il avait vu les monstres. Etoha avait aperçu la colonne de pierre. Restait l'identité de ce grand *Moai* et celle, non moins mystérieuse, de ces géants d'obsidienne. Allait-il devoir tenter d'approcher cette colonne de pierre pour en savoir plus ? En attendant, il avait échafaudé un plan : se rendre à cette plage où accostait régulièrement le vaisseau dans le but de localiser Aude, Cynthia et le professeur de Grands-Murs... si ces derniers s'y trouvaient, bien entendu.

⮷

Une nouvelle fois, il ne fut pas aisé de trouver le sommeil. Trop de choses extraordinaires se bousculaient dans l'esprit des

naufragés. Laurent mit à profit cette insomnie pour tenter de cerner plus précisément la position qu'ils occupaient dans le temps. La réaction de Kao et de Vaïhou, lorsqu'ils s'étaient trouvés face à lui, tendait à démontrer qu'ils voyaient un homme de race blanche pour la première fois. Au cours de la soirée, d'ailleurs, la jeune Pascuane avait régulièrement caressé ses cheveux du bout des doigts, comme s'ils avaient été précieux. Il expliquait cet intérêt par leur blondeur, inhabituelle dans ces contrées. Il en déduisit que les indigènes n'avaient pas encore reçu la visite, sur leurs côtes, du navigateur Roggeveen, dont l'équipage, parce qu'il était hollandais, comptait forcément des blonds dans ses rangs. Cette hypothèse valait ce qu'elle valait, mais elle impliquait qu'ils se trouvaient à une date antérieure à l'année 1722, époque à laquelle Roggeveen avait accosté. À cela, il ajouta les paroles de Blaise de Grands-Murs selon lesquelles des essais de datation des sculptures de l'île avaient révélé le Xe siècle comme date possible des premières édifications. Ce raisonnement les situait donc entre l'an Neuf cent et le XVIIe ou le XVIIIe siècle. S'il avait possédé des connaissances plus poussées en archéologie, il aurait sans doute pu, en fonction de

ce qu'il voyait autour de lui, affiner ce raisonnement. La marge d'erreur restait donc de six ou sept cents ans. Un détail ! Abasourdi par ces élucubrations cérébrales, il décida de les chasser de son esprit.

Ils se réveillèrent deux heures avant l'aube. Kao et Vaïhou les entraînèrent sur la piste menant à la plage. Grâce à la lune qui ne devait pas être loin de sa pleine phase, il régnait une certaine luminosité. Cela présentait un avantage réel pour éviter de se tordre les pieds, mais un inconvénient de taille pour ne pas se faire repérer.

Ils marchèrent ainsi près de deux heures dans un silence religieux. C'est à peine s'ils devinaient, au-delà des falaises, le bruit du ressac contre les brisants, dominé, par moments, par la note aiguë d'un oiseau marin. La plage se profila finalement en contrebas.

Keewat désigna un amoncellement de roches de basalte, derrière lequel ils se dissimulèrent.

— Nous y sommes, dit Lorri à voix basse. Il ne reste plus qu'à attendre l'aube, qui, vu le ciel, ne devrait plus tarder.

Etoha désigna une plate-forme assez monumentale, encadrée de plusieurs *moai*, et interrogea les indigènes sur son utilisation.

— Le grand *Moai* descendre là des étoiles, répondit Kao. Grand oiseau venir aussi bientôt.

Lorri leva machinalement les yeux au ciel où scintillait encore une myriade d'astres. Qui donc étaient ces mystérieux visiteurs venus du fond de l'espace ? Que venaient-ils chercher sur Terre ? Selon le récit de leurs jeunes amis, ils semblaient animés de bonnes intentions. Que s'était-il passé pour expliquer ce revirement de situation ? Pourquoi, après le départ du grand *Moai*, les iguanes étaient-ils devenus agressifs ?

— Quelque chose brille là-bas, dit Keewat en montrant un point sur l'horizon.

— C'est le phare dont je vous ai parlé, répondit Etoha.

— C'est curieux, jugea Laurent Saint-Pierre. On dirait la tour de contrôle d'un aéroport... En pleine mer, il ne peut s'agir que d'autre chose... À moins que... Oui, je sais. Vous avez vu comment vole leur engin ? Il n'a pas besoin de piste. Lorsqu'il se met en lévitation, il défie les lois de la gravité. Cette tour peut très bien lui servir de point d'appontage, non ?

— Exact, approuva le Tchippewayan. C'est d'ailleurs ce que nous ont laissé entendre

Kao et Vaïhou. Mais, regardez, il y a du nouveau.

Un point lumineux s'était détaché de la tour et se déplaçait au-dessus des flots.

— C'est l'engin volant, confirma le Québécois. Nous serons bientôt fixés.

Un sifflement, accompagnant le déplacement de l'OVNI, se fit entendre. Après une nouvelle attente d'une demi-heure à peine, le vaisseau obstrua tout l'horizon. Son enveloppe, constituée d'une matière mate et sombre, était percée, à certains endroits, d'ouvertures ressemblant à des hublots. Ces derniers devenaient de véritables baies vers l'avant de l'appareil. La partie postérieure, qui rappelait l'abdomen d'une abeille ou d'une guêpe, s'auréolait d'un réseau complexe de tubulures d'où s'échappait peut-être la force propulsive. Lorsque l'engin s'immobilisa à la verticale de la plage, le sifflement s'accompagna de vibrations. Les observateurs, blottis derrière leur mur de basalte, se bouchèrent les oreilles pour en atténuer l'effet douloureux.

Laurent jeta un coup d'œil vers leurs jeunes guides. Ils n'en menaient pas large. Kao, le cadet, était sans doute proche de la panique. Seule sa vanité de jeune homme

l'empêchait de s'y abandonner et de prendre ses jambes à son cou.

L'OVNI s'immobilisa au-dessus de la plateforme de pierre, dont les dimensions apparaissaient maintenant ridicules face à celles de l'engin. De légères trépidations succédèrent au sifflement. Un sas s'ouvrit sous la carlingue. Ils reconnurent immédiatement les démons verts qui en sortirent et qui s'alignèrent sur deux rangs convergents. Après quelques secondes d'attente, un premier groupe de tailleurs de pierre apparut, suivi par une foule de plus en plus nombreuse. Les prisonniers, il n'y avait pas d'autre mot pour qualifier ces hommes, défilèrent alors un à un entre les iguanes situés à l'extrémité des rangs. Chaque fois que l'un d'eux passait, il subissait sur les chevilles le pointage d'un curieux outil dont le rôle échappait totalement à Lorri et à ses amis. Encadrés par plusieurs escortes de démons verts, les Pascuans prirent la direction du Rano Raraku.

Une constatation s'imposa à l'esprit du Québécois. Où étaient les femmes et les enfants ? Il n'en avait aperçu aucun. Il reporta son attention sur le sas. Un nouveau groupe descendait. Il ne fallait pas être fin observateur pour s'apercevoir qu'il n'était composé

que de Pascuanes. Uniquement de Pascuanes ? Non ! Son cœur se mit à battre plus rapidement. Il venait de reconnaître deux prisonnières vêtues de maillots de bain alors que les autres avaient la poitrine nue.

— Aude ! s'exclama Keewat en devançant la réaction de son compagnon d'aventures. Elle est vivante ! Par *Yédariyé,* merci !

— Cynthia est à ses côtés, ajouta Laurent qui, lui aussi, avait du mal à masquer son émotion.

— Mais où est le vieux professeur ? demanda Etoha.

— Je ne l'aperçois nulle part, fit Lorri, après avoir scruté longuement la foule. Il n'était pas non plus parmi les tailleurs de pierre. Qu'est-ce que cela veut dire ?

— Je ne sais pas, je ne sais pas, répéta le Tchippewayan, que la prudence obligeait à piétiner sur place… On fait quoi, Lorri ? Il faut les délivrer, coûte que coûte !

— Je suis d'accord, Keewat. Seulement, mieux vaut ne pas faire n'importe quoi. Si nous nous trouvions tous à la merci des iguanes, tout serait perdu. Attendons qu'une occasion se présente. Cependant, il faut les avertir d'une manière ou d'une autre que nous sommes là.

Comme toutes les autres, les prisonnières furent contraintes de passer sous le pointage des mystérieux appareils tenus par les démons verts. Elles s'orientèrent ensuite vers une direction différente de celle de la carrière.

— Est-ce que Kao et Vaïhou savent où elles se rendent ? poursuivit Laurent.

— À la cueillette des fruits et légumes, traduisit Etoha. C'est à cela que servent les paniers qu'elles portent sous les bras.

— Et les enfants ? Il doit bien y en avoir, que diable ! Où sont-ils ?

— Retenus à l'intérieur de la colonne de pierre, dit encore la Samoane en rapportant les paroles de Vaïhou, dont la voix s'était brisée sous les sanglots.

— Attention, voilà les charognards ! s'exclama soudain Keewat en désignant le ciel, traversé par les petits engins en forme d'assiette renversée, et dont il connaissait l'efficacité. Ces bidules sont sortis d'une des soutes. Il va falloir se méfier.

— Tu as raison, reconnut Lorri. Voilà ce que je propose. Etoha, tu vas raccompagner Kao et Vaïhou à la caverne… Non, non, ne proteste pas. Nous n'allons pas risquer de tous nous faire prendre en même temps. S'il nous arrivait des ennuis, à Keewat et à moi,

nous pourrions ainsi encore compter sur toi et sur nos jeunes amis. De notre côté, nous allons suivre le groupe des Pascuanes et tenter d'établir un contact avec Aude et Cynthia. Nous vous rejoindrons ensuite là-bas... À bientôt !

Se rendant à la raison, Etoha avança vers les deux compagnons et les embrassa longuement.

— Ne m'abandonnez pas dans ce cauchemar, dit-elle en retenant ses larmes et en tournant les talons.

# 9
# Prisonniers

La tension avait augmenté d'un cran. Lorri et Keewat utilisaient le moindre accident de terrain pour ne pas se faire repérer. Cette tension était permanente. Devant, il y avait les monstrueux gardes extraterrestres ; au-dessus, les allées et venues de leurs disques volants.

Ils ignoraient tout de la physiologie des iguanes. Étaient-ils munis d'une acuité visuelle pointue ? Cette vision se situait-elle, comme pour les humains, dans le spectre visible[1] ou,

[1] L'œil humain ne peut capter que des ondes lumineuses dont la longueur se situe entre à 0,4 et 0,8 micron-mètre. C'est ce qu'on appelle le spectre visible. En dehors de cette fourchette, il existe d'autres ondes aux longueurs plus grandes ou plus petites que nous captons par des artifices : des appareils physiques adaptés, par exemple, des jumelles à vision infrarouge, largement utilisées par les militaires.

au contraire, était-elle différente ? Ils ne pouvaient absolument pas répondre à ces questions. Jusqu'ici, ils ne les avaient pas entendus communiquer entre eux. Les monstres en avaient forcément la possibilité, comme toutes les espèces intelligentes, dont le développement cérébral était intimement lié au pouvoir d'échanger des données acquises. Quant à leur force physique, ils supposaient qu'elle était en rapport avec leur taille qui avoisinait les deux mètres. La confrontation directe était donc à éviter, d'autant plus que, dans ce cas, ils s'exposeraient à la menace de leurs armes redoutables.

La troupe semblait suivre une direction précise. Après une heure de marche, elle pénétra dans un village composé de petites habitations aux toits arrondis et recouverts de chaume, bâti en lisière d'un bois de *toromiros*. Les entrées de ces abris sommaires ne mesuraient pas plus de soixante centimètres. Sur la place centrale errait tout un assortiment de cochons et de volailles, et, à proximité, plusieurs dépressions naturelles du sol avaient été aménagées en potagers. C'est au milieu de ces potagers que s'éparpillèrent les prisonnières.

La chance était avec eux. Les arbres allaient leur permettre de se rapprocher davantage

des Pascuanes et, par voie de conséquence, d'Aude et de Cynthia.

Ils ne mirent pas longtemps à repérer les silhouettes de leurs compagnes. Lorri compta huit iguanes chargés de la surveillance. Il était impossible de tenter quoi que ce soit dans l'immédiat. C'est sans doute ce que pensait aussi Keewat, dont le visage affichait une moue de contrariété. Les deux amis firent une autre constatation. Les démons verts éprouvaient de la difficulté à marcher, comme s'ils étaient légèrement ivres. Après réflexion, Laurent mit cette particularité sur le compte de leur physiologie. Cette dernière n'était probablement pas tout à fait adaptée aux conditions terrestres. Il doutait en effet que les monstres aient abusé d'alcool de coco.

De la position qu'ils occupaient, Laurent et Keewat étaient dans l'incapacité de distinguer de manière précise les traits d'Aude et de Cynthia. Les deux filles n'étaient pas des poules mouillées, loin de là. Malgré tout, la situation effarante qu'elles vivaient depuis le basculement spatio-temporel avait de quoi ébranler sérieusement leurs esprits. Elles se raccrochaient sans doute l'une à l'autre pour ne pas perdre la raison, avec l'espoir qu'un jour, elles reverraient leurs compagnons.

C'était d'ailleurs ce qui motivait Keewat et Lorri. Ils savaient qu'en se manifestant, ils concrétiseraient cet espoir.

Comme les autres, elles s'étaient mises à ramasser ignames et patates douces. Ce labeur les obligeait à changer régulièrement de place. Par signes, le Tchippewayan fit comprendre à son compagnon que s'ils voulaient les approcher davantage, il fallait bouger. Chacun de leur côté, ils entreprirent de contourner une partie du groupe en un mouvement de tenailles.

Cela amena Lorri plus près des iguanes qu'il ne l'avait jamais été. Leurs têtes s'ornaient d'une crête écailleuse, plus claire que le reste de leur peau. Leurs mains étaient composées de cinq doigts aux ongles nettement plus longs que ceux des humains. Il pensa que cette caractéristique était probablement un reliquat du passé, ces ongles jouant alors le rôle de griffes. La plupart des créatures tenaient un mystérieux appareil, de forme oblongue, dont l'utilité lui échappait encore. Il remarqua aussi que les prisonnières avaient les chevilles cerclées de curieux bracelets.

Soudain, il eut la confirmation de ce qu'il supposait. Les monstres communiquaient

Un quatrième gravillon percuta la hanche de la prisonnière. Cette fois-ci, elle aperçut le jeune homme. Malgré l'avertissement qu'il lui donna de garder son calme, la joie de la jeune Française fut si intense qu'elle en lâcha son panier. Cet incident n'échappa pas au gardien le plus proche qui, par réflexe, pointa l'ustensile qu'il avait dans la main. Il y eut un grésillement, suivi d'un cri de douleur. Aude tomba à genoux.

Lorri serra les poings. Il était en partie responsable du mauvais traitement que venait de subir la compagne de son ami. Un événement inattendu survint alors. Un gros bloc de pierre fusa dans l'air et vint fracasser la tête du monstre. « Oh non ! Keewat ! pensa-t-il en faisant la grimace. » Alertés, deux autres démons verts se ruèrent vers leur congénère qui, s'il n'était pas complètement assommé, devait voir défiler pas mal d'étoiles de la galaxie. Il ne restait qu'une seule chose à faire. Laurent bondit en saisissant Aude par la main.

— On file ! hurla-t-il.

Jetant un coup d'œil derrière lui, il aperçut Keewat et Cynthia leur emboîter le pas. La fuite ne dura que quelques secondes. Sans comprendre ce qui se passait, les jeunes aven-

entre eux. Cela ressemblait à des grinceme
de scie attaquant le métal, avec, de tem
en temps, de drôles d'éructations. « Brrr
songea-t-il. Nous sommes loin d'un gazouil
d'hirondelles. »

Son pouls s'accéléra. Aude venait vers lu
Maintenant, il pouvait lire l'expression d'u
profond désespoir sur son visage. Elle ne sem
blait pas avoir subi de sévices corporels, c'éta
toujours ça de gagné. Cynthia devait se trouve
de l'autre côté, car il ne la voyait plus, tou
comme Keewat, dissimulé par les fourrés.

Lorri ramassa plusieurs petits fragment
de pierre qu'il jeta prestement vers la jeun
femme. Les deux premiers n'atteignirent pa
leur but, mais le troisième fit mouche sur so
mollet. Il la vit saisir le projectile, puis regarde
autour d'elle, intriguée. Il s'apprêtait à lu
faire signe lorsqu'un démon vert se précipit
vers elle.

— Kriiiaaaêêêk ! Kriiiaaaêêêk !

Ce cri sinistre, répété comme deux cou
de lame, la terrorisa. Elle se remit immédi
tement à la besogne. De son côté, Lorri rent
la tête dans les épaules. Au bout de quelqu
secondes, le monstre regagna sa position.

— Je dois recommencer. Avant qu'e
ne s'éloigne trop !

turiers virent Aude et Cynthia s'étaler de tout leur long, victimes d'un étrange phénomène. Attirées par une force irrésistible issue des bracelets, leurs jambes s'étaient figées l'une contre l'autre.

— Les bracelets ! gémit Cynthia. Ils nous empêchent de bouger. Ce sont des aimants !

— Sur nos épaules ! réagit le Tchippewayan. Vite !

Ils ne purent aller plus loin. Un iguane avait dardé à son tour l'ustensile oblong dans leur direction. Ils se sentirent envahis par une torpeur indéfinissable, puis ils s'affalèrent, inconscients.

Zarod inclina le buste, un cône tronqué, poli comme de l'obsidienne, monté sur un abdomen en forme de jarre. Il se trouvait devant la cellule des humains. Sa tête, allongée comme un ballon de rugby posé horizontalement, pivota de gauche à droite, avant de s'immobiliser de nouveau. Elle fut zébrée d'éclats multicolores. Zarod cherchait. Il se releva, puis poursuivit son chemin sous la poussée de ses propulseurs.

Les parois du vaste couloir où déambulait l'entité de verre-métal se teintèrent encore

sur plusieurs mètres avant que les éclats lumineux ne cessent d'un coup. Il avait trouvé. Pour la seconde fois, son analyse venait de lui dévoiler une anomalie dans l'onde spatio-temporelle des deux derniers prisonniers capturés. Les Zwanx les avaient amenés en état de sommeil. Cette onde était différente de celle des autres humains vivant dans l'île. Elle présentait un curieux décalage sur le diagramme espace-temps. Curieux ? Oui, c'était le mot. Ou plus exactement, la bonne combinaison chromatique. Zarod communiquait par lumière interposée. Les combinaisons du spectre lumineux étaient en réalité sa façon de parler. Des quatre mille sept cent vingt-deux langages de la galaxie emmagasinés dans ses mémoires, c'était celui qu'il préférait. Depuis quelque temps, ce langage s'accompagnait d'états nouveaux pour lui. Ces états parcouraient ses circuits de fibres par vagues plus ou moins énergétiques. Le résultat était surprenant. Une même combinaison chromatique pouvait avoir un... sens différent selon qu'elle était émise alors qu'il se trouvait dans un état ou dans un autre. Surprenant... Sens... Autant de combinaisons chromatiques, inconnues jusqu'alors, qu'il découvrait aujourd'hui. De même, lorsqu'il calculait, il

savait qu'il calculait. Tout cela ajoutait une dimension nouvelle à sa temporalité[2]. Ce n'était pas… l'envie qui lui manquait de contacter les Maîtres par le canal hyperespace. Il obtiendrait la réponse à ses interrogations, il en était certain. Les Maîtres savaient tout. Seulement, le canal hyperespace était réservé aux rapports qu'il était chargé d'expédier et aux cas d'extrême urgence, pas à des futilités. Futilités ? Encore une drôle de combinaison chromatique !

Zarod redevint attentif. Son calcul du décalage spatio-temporel donna trois unités s.t.u, ce qui, par transcription en temps terrestre, donnait six cent vingt et une révolutions[3]. Comment cela était-il possible ? Les humains n'étaient pas des êtres technologiquement très avancés. Un tel décalage supposait l'emprunt d'un puits spatio-temporel, bien au-dessus de leurs connaissances. Ce fait était assez incongru pour être signalé dans le prochain rapport qu'il expédierait. En dehors des tâches courantes d'entretien et de collaboration avec les Zwanx, il était mouchard.

---

[2] Son existence.

[3] Années.

Les Zwanx, il les connaissait bien. Jadis, ils avaient fait partie d'une horde de pilleurs de mondes avant d'être asservis par les Maîtres. Maintenant, ils étaient employés comme agents d'étude de bio-systèmes, au sein des stations planétaires. Cette planète, habitée par les humains, était d'une grande richesse. La station *Zeter 3* avait été implantée à proximité d'un îlot perdu au milieu d'un océan d'hydox[4]. Les Maîtres y avaient laissé une colonie de Zwanx, pour les soumettre à un test de réinsertion, à laquelle ils avaient adjoint une déca-unité de calculateurs de son type à lui.

Lorsqu'il avait... ressenti les premiers symptômes à l'intérieur de ses fibres, Zarod en avait fait part à ses collègues calculateurs. Il n'avait pas obtenu de réponse. Ce phénomène ne les avait pas touchés. Cela l'avait poussé à s'autosonder. Le diagnostiqueur avait été formel : aucune anomalie de fonctionnement. Comme cette... bizarrerie n'entravait en rien ses performances, il avait décidé de l'analyser chaque fois qu'elle se manifesterait. Cette décision avait aussitôt déclenché l'activation de son système de sécurité. Comment

[4] Eau.

pouvait-il faire une chose dont les calculs de base ne figuraient pas dans ses mémoires ? Comment pouvait-il décider ? Cette première alerte avait été suivie d'une seconde, qui provoqua une chute brutale de son rayonnement interne. Il avait analysé immédiatement les données qu'il percevait de l'environnement extérieur. Aucun changement de température n'était décelable. Cette chute énergétique interne s'expliquait-elle par les problèmes qu'il venait de soulever ? Ses émissions chromatiques s'étaient toutes décalées vers les basses énergies. Il avait eu… PEUR !

Peu à peu, son rayonnement interne avait retrouvé sa valeur d'origine. Il avait étudié et compris l'incident. Pour la première fois de sa temporalité, il avait aligné des équations dont il ne pouvait calculer la portée qu'en choisissant lui-même les paramètres. Il s'était retrouvé en face d'un vide : celui du choix.

Il avait appris à maîtriser cette nouvelle capacité. Il pouvait même dire, aujourd'hui, qu'il la trouvait… amusante. Il trouvait… amusant de pouvoir expérimenter ses propres choix face aux problèmes qu'il était chargé de résoudre. Un jour qu'il accompagnait les Zwanx à bord du transbordeur, dans l'espace interplanétaire, il avait… décidé de

couper le système de gravitation artificiel. Les Zwanx s'étaient mis à flotter comme des oiseaux avant de s'écraser dans des poses grotesques. C'est ce jour-là également qu'il avait fait connaissance avec un nouvel état. Il avait… RI. Cette expérimentation lui fit aussi prendre… conscience que toute décision exigeait au préalable une… réflexion. L'un des iguanes avait été aspiré par une turbine de régulation. Il n'en avait subsisté qu'une bouillie informe. Désireux de comprendre l'origine du phénomène, les autres Zwanx avaient aussitôt chargé les calculateurs d'analyser l'incident. Ils ne trouvèrent rien, bien évidemment. À moins que la commande du système de gravité ne se soit autoactionnée, ce qu'ils ne pouvaient admettre à cause de la probabilité liée à un tel événement, proche de zéro.

Peu après l'achèvement de la station *Zeter 3*, les Zwanx avaient fait une découverte. Le fond de l'océan regorgeait de nodules polymétalliques[5]. Les calculateurs furent

---

[5] Ces nodules existent. Ce sont des galets de 1cm à 1m de diamètre qui tapissent les grands fonds. Ils sont formés de couches concentriques d'oxydes métalliques. Leur quantité serait voisine de 40 000 tonnes au km$^2$.

chargés de dresser l'inventaire des minerais composant ces nodules. Il se révéla très intéressant. Bien que ce ne fût pas l'objectif premier de l'exploration, les Zwanx décidèrent l'exploitation de ce gisement. Aux moyens techniques qu'apportaient les calculateurs, ils ajoutèrent la main-d'œuvre humaine composant la population de l'île. Ceux qui ne participaient pas à cette entreprise étaient enrôlés dans l'édification de statues gigantesques destinées à séduire les Maîtres lorsqu'ils reviendraient.

Zarod ... estima que la décision des Zwanx outrepassait leurs fonctions. Malgré cela, il ne pouvait pas s'opposer directement à eux. Son rôle consistait à veiller au bon fonctionnement des éléments vitaux de Zéter 3. Il fit néanmoins le... choix d'informer les Maîtres de la situation.

Zarod enclencha son système propulseur. Un des éléments programmés du secteur 4 venait de se dérégler. Le travail l'attendait.

# 10
# Dans *Zéter 3*

Cynthia prit Aude dans ses bras.

— Ils ne sont pas morts, lui murmura-t-elle à l'oreille. Avant qu'ils ne les emmènent, j'ai pris le pouls de Keewat. Son cœur battait. Les iguanes les ont simplement neutralisés.

Par-dessus l'épaule de son amie, elle jeta un regard vers les autres prisonnières qui prenaient soin de leurs enfants. Après une nouvelle matinée de cueillette, on les avait ramenées dans la tour. Les monstres avaient imaginé cette stratégie pour les obliger à obéir. Les enfants étaient retenus en otages. Pendant ce temps, elles étaient envoyées sur l'île pour ramasser les fruits et les légumes. Ces aliments étaient utilisés pour nourrir l'ensemble des

prisonniers. Ainsi, aucune d'entre elles n'aurait songé à s'échapper.

Cynthia était heureuse de savoir Lorri vivant. Sa présence, ainsi que celle de Keewat, prouvait qu'ils avaient tous subi l'épreuve et qu'ils s'en étaient sortis. Elle n'avait trouvé aucune explication valable pour éclaircir ce mystère. Comment s'étaient-ils retrouvés à des milliers de kilomètres de l'endroit où ils nageaient, et plusieurs siècles en arrière, voilà une question à laquelle elle aurait aimé pouvoir donner une réponse. Ses connaissances universitaires ne lui étaient d'aucun secours. Si le professeur avait été là, il aurait sans doute pu l'éclairer. Mais, jusqu'ici, elle ne l'avait aperçu nulle part. Lorri et Keewat en savaient peut-être plus à son sujet.

Une prisonnière s'approcha doucement. C'était Puna. La Pascuane leur avait appris, autant par gestes que par paroles, que ses deux enfants, Kao et Vaïhou, s'étaient enfuis au moment de la séparation des familles. Elle aussi pleurait beaucoup. Elle ne savait pas ce qu'il était advenu d'eux et de son époux.

Cynthia ne possédait aucun élément d'information sur l'utilité de la tour. Au cours des conversations, elle avait cru comprendre que certains hommes y étaient employés. Elle

ignorait à quoi. Le peu qu'elle en avait vu, en descendant de l'astronef assurant la liaison avec l'île, c'était qu'elle était d'une hauteur vertigineuse. Ses fondations disparaissaient sous la surface de l'océan.

Après s'être retrouvées de manière inexplicable à nager ensemble, en bordure d'une côte qu'elles n'avaient pas reconnue immédiatement, Aude et Cynthia avaient failli céder à la panique. Elles s'étaient agrippées aux rochers battus par les vagues, exténuées. Il leur avait fallu un bon moment avant de reprendre leurs esprits. Elles s'étaient mises ensuite à la recherche de leurs compagnons. Elles avaient été attirées par un attroupement, sur une plage de l'île, à un endroit où les falaises étaient moins escarpées. C'était là qu'elles avaient découvert la première statue, un *moai* de l'île de Pâques. Elles n'avaient pas vu qu'aux hommes présents sur la plage, se mêlaient des créatures de cauchemar. Lorsqu'elles s'en étaient rendu compte, il était trop tard. Elles avaient ressenti tout à coup un drôle d'engourdissement, puis elles s'étaient effondrées. À moitié inconsciente, Cynthia avait vu des faces reptiliennes se pencher sur elle. Elle avait senti qu'on la soulevait, puis qu'on l'emmenait à l'intérieur d'un vaste

hangar. C'est par la suite qu'elle avait compris que ce hangar était en réalité la soute d'un énorme engin volant. Lorsqu'elle était revenue complètement à elle, elle se trouvait enfermée en compagnie d'un nombre élevé de femmes, toutes indigènes. Des anneaux enserraient ses chevilles. Elle s'était immédiatement précipitée vers Aude pour s'assurer qu'elle vivait. Depuis, chaque matin, elles étaient forcées de faire comme les autres : ramasser la nourriture.

Elle ne pouvait pas dire qu'elles étaient maltraitées. À condition de ne pas tenter de s'échapper. Elles avaient toutes les deux assisté à la fuite, puis à la reprise d'une indigène. L'utilité des anneaux aux chevilles était alors apparue clairement. En plus de cela, les monstres disposaient d'autres moyens répressifs tout aussi efficaces, comme les ustensiles dont ils s'étaient servis sur Aude et qui étaient capables de faire mal, très mal. Ces ustensiles étaient des armes dont il fallait se méfier.

Peu après avoir repris connaissance, un détail l'avait frappée. Elle avait éprouvé une certaine difficulté à bouger son corps. Elle avait eu l'impression qu'une chape de plomb pesait sur ses épaules. Comme une espèce… d'écrasement permanent. Aude avait ressenti

le même phénomène. Il disparaissait lorsqu'elles quittaient la tour pour réapparaître lorsqu'elles y revenaient. Ce phénomène perdurait encore aujourd'hui.

— D'où peuvent-ils bien venir? interrogea la jeune Auvergnate en séchant ses larmes.

— Les monstres ? Aucune idée. Ils ressemblent à des iguanes. Ils en possèdent les caractéristiques physiques. Il faut supposer que là-haut, dans l'espace, il existe une planète où ils ont évolué comme nous nous l'avons fait, ici, sur Terre. Ce qui est sûr, c'est que leur technologie est largement en avance sur la nôtre. Leur race est sans doute plus ancienne.

— Mais pas meilleure…

— Tu as raison. C'est désespérant. Cela veut dire que l'esclavage, ce besoin d'asservir les autres pour satisfaire ses intérêts personnels, est une pratique universelle.

— Les machines noires que nous avons aperçues, ce sont des robots, n'est-ce pas ?

— Elles en ont tout l'air. Je me demande comment elles se meuvent… Elles flottent, tu as vu ?

— Je croyais que tout ça, c'était du cinéma… Enfin, je ne croyais pas que les extraterrestres puissent avoir… cette forme.

Mis à part leur tête et la couleur de leur peau, les iguanes ne sont pas si différents de nous.

— Ce sont des humanoïdes. Pour être intelligent, il faut avoir la possibilité de manier des outils. La nature ne semble pas avoir trouvé mieux que les mains et les membres. Je suppose que ce sont, là aussi, des caractéristiques universelles. Je me trompe peut-être… Ce qui est certain, c'est qu'ils feraient un bon sujet d'étude. J'imagine la tête des collègues du Centre si je leur ramenais un exemplaire de ces créatures. Bon sang ! Quelle exclusivité !

— Je n'ai pas envie de moisir plus longtemps ici, Cynthia. Il faut absolument savoir ce que sont devenus Keewat et Lorri. L'absence de mon grand-père m'inquiète également beaucoup. Et la pauvre Etoha… Qu'est-elle devenue ?

Elles regardèrent autour d'elles. La cellule des femmes, composée d'une matière dure et souple à la fois, mesurait près de cinquante mètres de diamètre. On y pénétrait par un large sas. Une fois refermé, il ne laissait apparaître aucune solution de continuité. Pour les commodités, elles disposaient d'une pièce close dépourvue de mobilier qui, à intervalles réguliers, lorsqu'elle n'était pas

occupée, était nettoyée automatiquement. Par quel procédé, cela restait un mystère. L'air leur parvenait par des bouches d'aération rectangulaires entretoisées, découpées dans la paroi supérieure, à trois mètres de hauteur.

— Si on essayait de se glisser là-dedans, dit Aude en désignant la plus proche. Il y a peut-être moyen de passer entre les entretoises… Nous ne sommes pas bien grosses, toutes les deux.

— Elles sont trop hautes, jugea Cynthia. À moins que… Je te fasse la courte échelle et que tu grimpes sur mes épaules.

On les regarda faire avec curiosité. Après avoir rétabli son équilibre, Aude parvint à atteindre la bouche la plus accessible. Elle jeta un coup d'œil au-dessus d'elle, puis, à la force des poignets, elle engagea le buste dans l'étroit passage. Elle se propulsa d'un bond et atterrit assise sur une des entretoises.

— Ça semble mener loin, dit-elle en étudiant l'espace à l'intérieur du conduit. J'aperçois de la lumière plus haut. En s'aidant du dos et des bras, on peut tenter le coup. Ça ne sera pas une partie de plaisir, je t'avertis. Tu montes ?

Pas si simple ! Aude avait pris appui sur ses épaules. Comment allait-elle faire, elle ?

— Aide-moi, fit-elle comprendre à Puna.

L'indigène accepta non sans débiter un flot de paroles. Cynthia devina qu'elle lui demandait de l'accompagner.

— Non, Puna. Nous ne savons pas où ça mène. Inutile de prendre des risques supplémentaires. Nous reviendrons te chercher, je te le promets.

Sans s'attarder, la scientifique se hissa jusqu'à l'ouverture. Elle disparut à son tour.

Une fois de plus, Laurent faisait un cauchemar. Il courait après de petits lézards qui tentaient d'échapper au filet qu'il brandissait. Ceux-ci disparurent derrière un petit mur. Lorri plongea à son tour derrière le muret pour tenter de les rattraper. Il se trouva nez à nez avec un être monstrueux, à la tête écailleuse. Il hurla.

— Ahhhh !

— Du calme, fit une voix. Alors ? Fini de faire dodo ?

Cette voix, il la reconnut. C'était celle de Keewat.

— Où sommes-nous ? interrogea-t-il en se relevant sur un coude.

— Sais pas... Nous ne sommes pas seuls, c'est tout ce que je puis te dire.

Lorri avait aperçu, lui aussi, les hommes, couchés en grand nombre, autour d'eux.

— Les tailleurs de pierre... Nous serions donc... à bord de l'OVNI ?

— Possible. Y a pas de bruit. C'est bizarre, non ? On devrait entendre le système de propulsion... Nous avons de drôles de trucs aux chevilles. Regarde.

— Les anneaux ! C'est réussi !... Mais j'y pense, bravo pour ton exploit ! Qu'est-ce qu'il t'a pris de balancer un rocher d'une tonne sur la tête de l'iguane ?

— Après ce qu'il avait fait à Aude ? J'espère qu'il a une bosse dont il se souviendra !

— Si nous ne sommes pas à bord de l'astronef, où sommes-nous ?... J'y suis. Dans la tour !

Une faible clarté bleutée sourdait par des ouvertures triangulaires découpées dans les parois. Elles permettaient d'apprécier l'étendue de la salle où ils se trouvaient. Autour d'eux, des corps allongés à même le sol remuaient parfois un bras, parfois une jambe. Ils dormaient.

— Ces hommes doivent être exténués, reprit-il. Rien d'étonnant lorsqu'on sait à quoi ils passent leur temps.

Il se pencha sur ses bracelets. Ceux-ci mesuraient cinq centimètres de large, environ, et luisaient doucement sous la lumière. Il ne trouva aucun système d'ouverture. C'était comme s'ils avaient toujours été là.

— Au moins, nous savons à quoi ils servent, hein ? Chez nous, on ferait sensation avec ça !

Lorri pensa tout à coup à sa famille. Il avait voulu voler de ses propres ailes, mener sa propre vie. À son âge, quoi de plus normal. Voilà où ça l'avait conduit ! Qu'avait-il fait pour que l'aventure lui colle ainsi à la peau ? Et quelle aventure ! Il aurait mieux fait de continuer sagement ses études au lieu d'entraîner avec lui ses amis dans ce projet fou de navire océanographique.

— Je me demande où elles sont ? reprit l'Indien tchippewayan.

— Aude et Cynthia ? Au moins, elles sont vivantes. Par contre, l'absence du professeur m'inquiète.

— Il a peut-être été épargné par le phénomène. Nous étions tous les cinq assez proches, dans le lagon. Lui, il était resté à

terre sur l'îlot. Cette circonstance a pu le sauver.

— C'est une possibilité, en effet. Mais s'il est ici, lui aussi, j'espère qu'il n'est pas occupé, quelque part sur l'île, à étudier les merveilles qui l'entourent… Tu imagines, l'aubaine, pour un archéologue ? Il serait capable d'oublier tout le reste, c'est-à-dire nous.

— Si c'est cela, il finira par être pris.

— À moins qu'il ne finisse grillé. Rappelle-toi le pauvre type qui essayait de s'échapper, dans le cratère… Si on inspectait l'endroit ?

— Je me sens tout abattu, remarqua Keewat. J'ai l'impression d'avoir des boulets aux pieds et un carcan de plomb sur le dos !

— Mois aussi. Il doit s'agir d'un effet secondaire du traitement que nous avons subi. Drôlement efficaces, leurs trucs ! J'étais entièrement paralysé avant de sombrer dans le cirage… Mais ne nous plaignons pas, nous aurions pu connaître pire…

— Ils nous ont pris nos couteaux.

— Ils étaient un peu ridicules, non ? À quoi ils nous auraient servi ?

— Ignorerais-tu qu'un Indien sans son couteau est un Indien tout nu ? Tu serais surpris de savoir ce qu'un Tchippewayan est capable de faire avec ce simple outil.

— Et avec un simple bloc de pierre... J'ai vu ! Bon. Si on tentait d'interroger un de ces hommes ?

Certains tailleurs de pierre ne faisaient que somnoler. Les deux amis eurent beau utiliser en long et en large le rudiment de maori qu'ils possédaient, ceux-ci ne comprirent rien à ce qu'on leur demandait.

— Nous ne sommes guère avancés, constata Laurent. Que se passe-t-il ?

Un son modulé s'était soudain mis à retentir.

— Nous avons à peine remué le petit doigt, ajouta Keewat, interloqué.

Dans la salle, les indigènes se levaient par petits groupes. Bientôt, tous furent debout. Sans qu'ils en devinent le mécanisme, un pan de la paroi s'ouvrit en chuintant. Deux iguanes apparurent, suivis par une drôle de chose flottant à cinquante centimètres du sol.

— Qu'est-ce que c'est que ce bidule ? reprit l'Indien. On dirait une fourmi.

— Plutôt grosse, ta fourmi ! Elle doit bien mesurer deux mètres cinquante de haut. Et elle a les bras d'un boxeur poids lourd.

Un démon vert jeta un commandement rauque, accompagné d'un geste de la main. Keewat et Lorri comprirent qu'ils devaient

quitter la salle. Ils se mêlèrent aux autres prisonniers. Lorsqu'ils passèrent au niveau de la « fourmi », l'Indien se rapprocha un peu et tenta de distinguer ce que dissimulait sa face lisse et polie. Tout ce qu'il vit, l'espace d'un instant, ce fut le reflet grotesque de son propre visage, déformé par la courbure de la surface, jusqu'à ce qu'une série de flashes lumineux le fasse reculer précipitamment.

— Hé ! Doucement, l'ami ! Je voulais juste voir la couleur de tes yeux.

— Ce n'est pas le moment de se faire remarquer, tu ne penses pas ? sermonna Lorri.

Ils débouchèrent dans un couloir. Tout ce qu'il leur restait à faire, c'était de suivre les Pascuans.

Zarod se mit à clignoter de plus belle. Son synthétiseur de sons se déclencha :

— … couleur de tes… yeux… pas le moment de… se faire remar… quer… tu ne penses… pas… couleur de tes yeux… pas le moment de se faire remarquer… couleur…

# 11
# La mine

Aude n'avait pas sous-estimé la difficulté. Ce n'était pas une partie de plaisir que de s'élever ainsi dans le conduit, en s'aidant à la fois du dos et des genoux. À intervalles réguliers, heureusement, des entretoises leur offraient la possibilité de souffler un peu. Elles en profitaient alors pour évaluer le chemin parcouru.

— Pfuiiiit ! fit Cynthia en s'épongeant le front. Le principal, c'est de ne pas se décourager.

— Je préfère ça à la captivité passive, murmura à son tour Aude. Lorsque nous aurons retrouvé Keewat et Lorri, tout ira mieux. Je suis sûre qu'ensemble, nous aurons une idée pour fuir cet enfer.

Cynthia aurait bien voulu partager l'optimisme de son amie. Elle était plus âgée qu'elle, c'était sans doute pour cette raison qu'elle doutait un peu de leur réussite. D'abord, elles n'avaient aucune idée de l'endroit où avaient été conduits leurs compagnons. Probablement avec les hommes, mais rien n'était moins sûr. Ensuite, le quartier des hommes se trouvait-il vers le bas ou vers le haut ? Pour l'instant, le conduit ne leur offrait qu'une seule possibilité : s'élever. Le choix s'imposerait lorsqu'elles rencontreraient un conduit latéral, à moins qu'elles n'en débusquent aucun, ce qui était peu probable. Ce système servait à la circulation de l'air. Elles en sentaient les effets sur leur peau. Il devait donc comporter des ramifications, plus ou moins étendues, jusqu'aux mécanismes moteurs de ventilation, mais prédire où il les amènerait était impossible.

Régulièrement, elles avaient rencontré de petites plaques gravées de signes mystérieux. Elles en avaient déduit qu'il s'agissait d'informations sur l'entretien ou la sécurité. Ces signes étaient cunéiformes, un peu comme l'écriture des Assyriens. Là s'arrêtait sans doute la comparaison. Il ne pouvait y avoir aucun lien entre cette civilisation antique

terrestre et les iguanes, d'origine extraterrestre.

Quel pouvait bien être l'effectif des monstres ? Elles n'en voyaient jamais plus d'une douzaine à la fois, lorsqu'ils les encadraient sur l'île. Cela ne signifiait pas pour autant qu'ils ne puissent pas être nombreux. Les dimensions de la tour abondaient d'ailleurs dans ce sens… À moins que tout ne fut automatisé, limitant le personnel à une poignée d'iguanes, ce qui, compte tenu de leur technologie apparente, n'était pas impossible. Et il y avait aussi les robots, dont les capacités étaient sans doute en corrélation avec cette technologie.

Ne les avait-on pas vues s'introduire dans le conduit par l'entremise d'un système de surveillance ? L'idée d'être de nouveau appréhendée par l'une ou l'autre de ces entités fit frémir Cynthia. Cette aventure était plutôt angoissante. Elle ne voyait pas comment tout cela pouvait finir. En contrepartie, la scientifique reconnaissait qu'elle vivait un événement de portée exceptionnelle.

— Ne nous attardons pas, conseilla Aude. Nous ne sommes sans doute pas au bout de nos peines.

Elle regarda vers le bas. Un faux mouvement et ce serait la chute. Elle rejeta cette image hors de son esprit. Courageusement, les deux filles se remirent à progresser comme elles l'avaient fait jusqu'ici.

Le couloir qu'empruntaient Keewat et Lorri, paraissait interminable. Autour d'eux, tout était constitué de cette étrange matière, souple comme du caoutchouc et résistante comme de l'acier, et baignait dans une luminosité vaguement bleuâtre.

À plusieurs reprises, ils croisèrent des entités identiques au géant d'obsidienne. Comme lui, elles flottaient au-dessus du sol et vaquaient à des tâches mystérieuses. Laurent supposa qu'elles veillaient au bon fonctionnement des œuvres vives de la construction. Certaines d'entre elles, en effet, manipulaient des outils qu'elles raccordaient à des caissons garnis de câbles ou de tubulures.

Il jeta un regard aux hommes qui les accompagnaient. Pas un ne soufflait mot. Ils paraissaient abattus, résignés. Que devaient penser ces indigènes au milieu de cet univers technologique qui leur était totalement étran-

ger ? Les iguanes étaient sans doute des dieux pour eux, même si leur comportement, comme le disait Kao ou Vaïhou, s'apparentait plus à celui de démons.

Mais lui, il n'était pas un Pascuan du passé. Il était un Québécois du XXIe siècle. La technologie qu'il voyait autour de lui, même s'il ne la comprenait pas, ne l'effrayait pas. Il avait le droit d'obtenir des explications sur leur destination. Il s'adressa au démon vert le plus proche, d'un ton qui surprit Keewat :

— Où nous emmenez-vous ? Comprenez-vous ce que je dis ?

L'extraterrestre le fixa de ses yeux à la sclérotique jaune pâle et aux pupilles lenticulaires comme celles des serpents. Il émit plusieurs sons, qui devaient être des mots, tout en prenant Laurent par le bras, en le menaçant de son paralyseur.

— Kriiêêk… Akêêêaaak ok êkiiiêêêêk !

— Nous ne sommes pas de ce temps, protesta Lorri en se libérant du contact répugnant de la main du reptile. Laissez-nous nous expliquer.

— Kriiêêk ! répéta le monstre.

— N'insiste pas où tu vas y goûter, conseilla Keewat.

Sous la menace, Lorri abandonna, non sans un dernier regard de défi. Ils se remirent à marcher.

— Ils ne comprennent pas un mot de ce que nous disons, laissa-t-il tomber avec mauvaise humeur. Nous ne pouvons même pas leur raconter ce qui nous est arrivé.

— Ils n'en ont rien à foutre. Pour eux, nous ne sommes que de la main-d'œuvre, comme les autres. Tu vas apprendre à tailler des pierres, mon vieux. Tu n'es pas content ?

— Ils ont l'air plus à l'aise ici qu'ils ne le sont à l'extérieur. Moi, j'ai toujours cette impression d'avancer dans de la mélasse…

— C'est sans doute une histoire de pression atmosphérique, si tu veux mon avis. Et pourquoi pas, de gravité ? Entre ces murs, ils peuvent recréer les conditions de vie qui leur sont les plus favorables.

— Pas bête ton raisonnement. Le même m'était d'ailleurs venu… Ou alors, ce sont encore ces fichus anneaux que nous avons aux pieds !

Ils furent poussés à l'intérieur d'une enceinte circulaire. Les gardes se répartirent autour d'eux. En tout, ils étaient bien au nombre de deux cents. Une large baie avait

tout de suite focalisé l'attention des deux amis. L'océan ! Ils étaient sous la surface de l'océan ! Pour preuve, ces poissons qui allaient et venaient, illuminés par un jeu de puissants projecteurs. Le sol sembla tout à coup se dérober sous eux. Cette sensation ne fut que de très courte durée.

— Qu'est-ce que ça signifie ? demanda Keewat en fixant Lorri.

— Nous sommes dans un ascenseur ! Nous descendons !

— Nous allons tailler des pierres au fond de l'eau ? Ça veut dire quoi ?

Ils avaient le nez collé à la baie. À l'extérieur, une ombre monta doucement des profondeurs. Des détails apparurent au fur et à mesure qu'ils se rapprochaient. Cette ombre prit la forme d'une hélice gigantesque, en mouvement, fixée sur une structure horizontale.

— Tu as vu la taille de ce truc ! s'exclama l'Indien, effaré par ce qu'il voyait.

— Pas moins de cinquante mètres de diamètre. Cette turbine doit capter l'énergie des courants. C'est extraordinaire !

La descente se poursuivit et la turbine disparut, gommée par la distance. Combien de

temps dura cette chute contrôlée vers l'abîme ? Ils n'auraient su le dire. De proche en proche, des projecteurs jetaient des auréoles de lumière dans l'espace. Sous leurs pieds, ils distinguèrent bientôt la surface polie d'un dôme et une large avenue, bordée de fanaux, qui se perdait dans la noirceur des profondeurs. Lorri devina également plusieurs voies parallèles, mais à cause de l'éloignement, il ne put les identifier de manière précise.

— On dirait une gare, dit Keewat. Ces voies ne seraient-elles pas des rails ?

— Cela y ressemble, tu as raison. Une gare ? Sous l'eau ? Mais pour quoi faire ?

L'ascenseur pénétra dans le dôme et s'immobilisa. Le sas, par lequel ils étaient entrés, s'ouvrit alors, laissant passer le groupe. Comme s'ils suivaient une leçon bien apprise, les prisonniers se rangèrent de part et d'autre de l'allée centrale. Chaque Pascuan se plaça devant un équipement que Laurent reconnut sans peine, même s'il n'en avait jamais vu de semblable.

— Des scaphandres autonomes ?! Pourquoi aurait-on besoin de scaphandres pour tailler des pierres ?

— Si ces pierres sont à l'extérieur, dans l'eau, répondit l'Indien.

— Tu imagines, la pression, là, derrière ce dôme ? Et pour quelle raison irait-on tailler des *moai* au fond de l'océan, hein ?

— Kriiêêk !... Kriiêêk ! éructa un iguane en leur ordonnant de se dépêcher.

Eux aussi devaient enfiler une combinaison. Cette dernière leur parut bien peu épaisse pour affronter les conditions auxquelles ils allaient être exposés. La partie dorsale comportait un appareillage qui selon toute vraisemblance, devait être le système d'oxygénation. De la tête aux pieds, autour du tronc, des bras et des jambes, courait un réseau spiralé de fines tubulures. Ils verrouillèrent les casques en imitant les autres prisonniers. Dès que le mécanisme d'étanchéité fut enclenché, ils ressentirent d'étranges vibrations.

— Ça vibre, chez moi, dit Lorri à voix haute. Et chez toi ?

Il n'entendit pas la réponse de son ami. À part le son de sa propre respiration, d'ailleurs, il n'entendait plus rien de l'extérieur. Si les scaphandres étaient équipés d'un système de communication, celui-ci n'était pas opérationnel.

Un second sas s'ouvrit. Imitant les Pascuans, ils passèrent dans une seconde salle où stagnaient des flaques d'eau. Ils étaient à

l'intérieur de la salle d'immersion. Le sas à peine refermé, des jets de liquide firent leur apparition. Le niveau se mit à monter rapidement. À travers les visières, Laurent et Keewat se dévisagèrent. Ils n'avaient pas besoin de se parler. Le sentiment qu'ils partageaient était le même : la peur. Peur de ce qui allait leur arriver. Sur les traits de leurs voisins, ils ne virent que de la résignation. Depuis quand ces hommes étaient-ils soumis à cette expérience ? Chez eux, le temps avait sans doute fini par gommer l'appréhension.

Lorsque la salle fut totalement immergée, une porte coulissa lentement. Ils suivirent le mouvement et gagnèrent l'extérieur. Hormis la résistance de l'eau qui entravait quelque peu leurs gestes, leur équipement les soustrayait efficacement à la pression. C'était un prodige.

Lorri avança la main vers son bras. Ses doigts gantés ne purent toucher la combinaison, une matière invisible s'y opposait. L'explication du prodige était là. Il n'était pas ingénieur, mais il en déduisit que les tubulures spiralées créaient un champ de force incompressible capable de les protéger. Il lança un regard à Keewat, qui, des bras imita les roues d'une locomotive à vapeur.

— Un train ?... Tu avais raison, dit-il tout haut, même si son ami ne pouvait l'entendre. Nous attendons l'arrivée d'un convoi. Ce sont bien des rails.

Il porta les yeux vers l'allée bordée de fanaux. De toute évidence, c'est de là qu'il allait surgir. En levant la tête, il dut faire un effort pour résister au vertige. Les fondations de la tour s'élevaient au-dessus d'eux, immenses, et semblaient vouloir les écraser.

Deux yeux lumineux émergèrent des ténèbres. Le convoi arrivait : une cinquantaine de wagonnets, tirés par un tracteur, à bord desquels ils grimpèrent.

Le train se mit en branle et partit en sens inverse. Il accéléra. Le dôme fut absorbé par les ténèbres. La seule chose que Lorri et Keewat distinguaient encore, c'était la double rangée de fanaux dont les cônes de lumière, à cause du déplacement de l'eau, se peuplaient de sédiments. Le trajet dura une demi-heure avant que le convoi ne pénètre sur une zone plus vaste, largement illuminée, jonchée d'une multitude de galets. Il s'arrêta.

— Et maintenant ! fit simplement Lorri en se demandant tout ce que cela voulait dire.

Mais lorsque les Pascuans mirent pied à terre et qu'ils s'éparpillèrent dans la zone éclairée, il comprit le but du voyage. Ils étaient devenus des forçats. Leur travail consistait à ramasser ces multiples cailloux, dont la taille allait de la simple boule de billard à la sphère d'un mètre, et de les transférer dans les bennes d'un deuxième convoi.

D'un geste de l'index contre son casque, Keewat annonça la couleur. Ils n'allaient certainement pas perdre leur temps à imiter le reste des prisonniers. Ils changèrent vite d'avis lorsque l'espace au-dessus de leurs têtes, fut traversé par un engin submersible dont le rôle n'était que trop évident. Alors commença un labeur aussi absurde qu'exténuant. Il dura de longues heures avant que, les bennes remplies, les indigènes ne regagnent leur propre convoi. Entre-temps, les deux compagnons d'aventures avaient prêté assistance à un prisonnier qui, à bout de forces, s'était écroulé. Le vieillard ne les avait pas remerciés. Il avait été pris de panique lorsque l'engin de surveillance les avait survolés.

Laurent et Keewat se sentaient, eux aussi, épuisés. Les réserves presque vides, leurs systèmes respiratoires ne dispensaient plus qu'un air vicié. Malgré leur confort restreint, ils se

laissèrent tomber sur les sièges des wagonnets avec bonheur. C'est aussi avec soulagement qu'ils virent surgir les contours du dôme lorsque le train sous-marin se mit à décélérer. Un peu plus tard, ils purent se débarrasser de leurs équipements.

L'Indien tchippewayan désigna les iguanes postés à proximité.

— S'ils s'imaginent que je vais remettre les pieds dans leurs foutus wagonnets…

— Ouais ! approuva Lorri. Il est plus que temps de se tirer d'ici… Ce que je me demande, c'est à quoi rime ce que nous venons de faire. Quelle utilité peuvent-ils bien trouver à ces cailloux ? Du remblai ?

— Je ne pense pas. D'après moi, il s'agit plutôt d'une mine. Ça me rappelle le matériel utilisé à Lynn-Lake, lorsque j'y travaillais pour me faire un peu de fric. Je suis certain qu'à l'intérieur de ces installations, quelque part, ils les traitent pour en extraire les composantes. Si le professeur était en notre compagnie, il nous aurait renseignés.

— Kriiêêk !

— Ça va, ça va, ne te fâche pas, mon lézard… On arrive.

Tous les prisonniers regagnèrent l'ascenseur qui, une fois la porte refermée, les

ramena à leurs quartiers. Tous sauf un : le vieil homme qu'ils avaient aidé. Les démons verts l'avaient emmené…

# 12
# En fuite

Etoha ne tenait plus en place. Cela faisait maintenant de longues heures que Keewat et Laurent les avaient quittés. Elle ne savait que penser.

Kao et Vaïhou étaient devenus ses amis. Elle leur avait raconté des tas de choses sur le monde d'où elle venait, avant de se rendre compte de l'incohérence de ce qu'elle faisait. Ce monde-là décrivait un futur qu'ils ne connaîtraient jamais.

— Amis dévorés par démons verts, laissa tomber Kao, une pointe de tristesse dans la voix. Plus jamais les revoir.

Il leur était arrivé quelque chose, elle en était également certaine.

— Eux peut-être attendre la nuit pour revenir, proposa Vaïhou. Nuit va bientôt tomber… Attendre encore.

Elle se raccrocha à cet espoir pour ne pas sombrer dans la folie. Chassant ses idées noires, elle pensa positivement aux deux garçons et imagina que, tôt ou tard, ils allaient se manifester.

Le sort de Keewat et de Lorri préoccupait aussi Aude et Cynthia. Les deux filles étaient exténuées. Par bonheur, des conduits horizontaux s'ouvraient à elles. Elles pourraient progresser dorénavant sans trop se fatiguer. En attendant, elles s'accordaient un repos bien mérité.

— Tu crois que ça va encore durer longtemps ? demanda Aude à voix basse tout en s'épongeant le front.

— Aucune idée. Probablement jusqu'à ce que nous rencontrions un bloc moteur d'aspiration. D'ailleurs, il me semble que l'air circule plus rapidement depuis quelque temps.

— Tu as raison, ce n'est pas une fausse impression.

— J'espère qu'ils ne sont pas maltraités…

— Ne pense plus à cela, Cynthia. C'est tout ce que je te demande… À propos, où vous en êtes, toi et Lorri. Vous vous aimez bien tous les deux, non ?

Aborder un tel sujet dans de semblables circonstances était sans doute surréaliste. Mais elle trouvait qu'il leur permettrait de décompresser.

— Tu crois que c'est le moment de papoter comme si nous nous trouvions dans un salon ? protesta la scientifique avec des yeux étonnés. Nous risquons à tout moment de nous faire reprendre et…

— J'ai envie de parler de notre monde, Cynthia. Pour oublier un peu ce… cauchemar !

— Bon, d'accord. Et puis, ça nous évitera de penser au pire, comme tu dis… Ouais, je l'aime beaucoup. Il est… intéressant. On ne s'ennuie pas avec lui.

— Ça, tu peux le dire ! Ni avec Keewat, crois-moi. Ces deux-là se ressemblent comme des jumeaux.

— J'imagine que des filles, il en a à la pelle. Il est plutôt beau garçon.

— Je l'ignore. J'ai déjà tenté d'en apprendre plus sur lui, mais, chaque fois, Keewat

m'a envoyée sur les roses. Il me dit que ce ne sont pas mes oignons.

— En tout cas, ton Indien a l'air de tenir à toi… Vous avez des projets ?

— Pas dans l'immédiat. Il m'a déjà invitée à venir chez lui, là-bas, dans le Grand Nord. Je n'ai pas encore fait le pas. J'ai peur qu'en se voyant trop souvent… Et le Canada, ce n'est pas la porte à côté.

— En avion, on y est vite.

— Tu peux parler ! Tu as été au Québec ?

— Tu as raison. Lorri m'invite depuis pas mal de temps. Un peu pour les mêmes raisons que toi, j'hésite. Peut-être que ce voyage ne changerait rien… Peut-être pas… Mais si nous continuons à discuter comme nous le faisons, nous allons nous faire repérer. Ce conduit doit être une véritable caisse de résonance. Remettons-nous à avancer.

Ils étaient assis sur le sol lorsque le sas s'ouvrit. Lorri et Keewat devinèrent qu'il s'agissait du repas. Quatre iguanes venaient d'introduire un long chariot au milieu de la cellule. Il y avait là autant de rations de

légumes que de prisonniers. Les efforts qu'ils avaient fournis les avaient affamés. Ils se jetèrent avidement sur leurs parts en cessant de se tarauder l'esprit.

— Tu as une idée pour nous tirer d'ici ? reprit l'Indien, sa portion avalée.

— Pas vraiment, non. En y regardant de près, je ne vois pas comment nous pourrions nous y prendre. Si nous faisions partie de l'équipe des tailleurs de pierre, nous pourrions tenter notre chance, mais en travaillant au fond de l'eau…

— C'est quoi, ce bruit ? On dirait une soufflerie.

Lorri tendit l'oreille. Entre deux montées de brouhaha causé par les bavardages des prisonniers, il perçut un vrombissement continu.

— Faut bien que l'air nous arrive d'une manière ou d'une autre, non ? Ça doit être le système de ventilation.

Il suivit des yeux la silhouette de son ami qui, ayant délaissé son écuelle, partit en exploration, le regard rivé au plafond.

— Viens voir, Lorri. J'ai trouvé quelque chose d'intéressant, cria-t-il au bout d'un moment… Là-haut… Une bouche d'aération.

— T'as une échelle ?

— Fais-la moi, je vais jeter un coup d'œil là-haut... Il y a des espèces... de vis. Je doute qu'on puisse passer entre les entretoises sans démonter le cadre.

— L'ennui, c'est qu'il nous manque le tournevis !... Qu'y a-t-il derrière ?

— Un conduit...

— Aïe ! Tu m'écrases les épaules, vieux. Je ne tiens plus !

— Si tu veux mon avis, dit le Tchippewayan en sautant au sol, nous devons tenter le coup... Vous permettez.

Sans autre préambule, il s'empara de la breloque d'os qu'un Pascuan avait au cou avant de la brandir sous le nez de son ami.

— Le voilà, notre tournevis.

— Attends. Je devine ce que tu veux faire... Pas maintenant. Tôt ou tard, ils vont venir récupérer le chariot. Nous risquerions d'être surpris en pleine action. Il suffit de patienter un peu.

L'attente ne fut pas longue. Comme l'avait supposé Laurent, plusieurs iguanes réapparurent afin d'évacuer les écuelles et le chariot.

— *Go* ! commanda Lorri en se précipitant sous l'orifice dès que le sas se fut refermé.

D'une traction, il propulsa son compa-

gnon vers le plafond. Keewat se mit aussitôt à la besogne. Après un temps qui leur parut interminable, le cadre sur lequel étaient fixées les entretoises fut enfin ôté.

— Ça y est ! J'ai cru que je n'y arriverais jamais. Nous pouvons remercier le Grand Esprit de ne pas être les seuls à avoir inventé la vis d'Archimède. Si le mécanisme de fixation avait été plus compliqué… Bon, je grimpe… Mais j'y pense, comment tu vas faire, toi ?

— Ils vont m'aider. T'en fais pas, j'arrive.

Une minute plus tard, Laurent rejoignait son compagnon sans se préoccuper de l'attroupement que leur fuite avait occasionné. Ses jambes étaient à peine repliées que le sas d'entrée s'ouvrit de nouveau. Zarod avança lentement dans la pièce en fendant le cercle des prisonniers. Pris de crainte, ceux-ci se dispersèrent rapidement. L'entité s'arrêta sous la bouche d'aération, à quelques mètres du cadre qui, sur le sol, était aussi visible que le nez au milieu de la figure.

Lorri saisit violemment la cheville de l'Indien et lui fit signe de ne plus bouger. Une sueur froide le glaça.

Le calculateur évalua le nombre de prisonniers. Deux manquaient au décompte. Ils n'étaient pas absents, simplement quelques mètres plus hauts que les autres.

Zarod n'avait pas besoin de lever la tête pour les localiser. Il les avait même identifiés. Il se retira dans un léger chuintement.

— Je crois qu'on peut y aller, murmura Laurent, au bout d'un moment, le corps parcouru de frissons. Nous l'avons échappé belle ! C'était le robot.

— Fiente d'ours ! Le cadre ! Il a dû le voir, s'écria Keewat, complètement paniqué.

— Ouais ! À moins qu'il n'ait pas d'yeux... Il faut l'espérer. Bouge-toi. Si on allait voir plus haut ?

Une autre heure avait dû s'écouler. Si la progression était nettement plus aisée, Aude et Cynthia n'en avaient pas, pour autant, oublié le danger. Il ne fallait surtout pas faire de bruit, pour la simple et bonne raison qu'elles ignoraient tout des lieux qu'elles traversaient. Par-dessus le sifflement régulier de l'air, des cognements étouffés résonnèrent tout à coup.

— Tu as entendu ? murmura Aude en s'arrêtant de ramper.

— Qu'est-ce que ça peut être ?

— Il y a de la lumière, à vingt mètres devant nous. On dirait l'ouverture d'un deuxième conduit venant du bas... Et pas moyen de se cacher !

Leur cœur battant à tout rompre, les deux filles étaient pétrifiées par les ombres qui se dessinaient sur la paroi réfléchissante du conduit.

— Voilà que ces bruits recommencent, gémit Aude. Oh ! Cynthia, que va-t-on devenir ?

Elles faillirent hurler lorsqu'une touffe de cheveux émergea de l'orifice.

Keewat se retourna brutalement. D'où venaient ces couinements soudains ?

— Cynthia ! Aude ! Par *Yédariyé*, je n'en crois pas mes yeux ! s'exclama à voix basse le Tchippewayan en découvrant ses amies blotties l'une contre l'autre.

— Ne t'en fais pas, l'encouragea Lorri, croyant que son compagnon était victime d'un coup de blues. Nous allons les retrouver.

— Mais non, sombre idiot ! Elles sont là, dans le conduit.

En deux temps trois mouvements, il s'extirpa du puits vertical et se rua, lui aussi, à la rencontre des deux jeunes femmes. Ces dernières laissèrent éclater leur joie.

— Oh ! Keewat ! murmura Aude en embrassant nerveusement l'Indien. Je ne croyais jamais te revoir. Lorri t'accompagne ? Dieu soit loué !

— Cynthia !? Aude !? Mais que faites-vous ici, toutes les deux ?

— Cette question vaut aussi pour vous, les garçons, répondit la scientifique en priant Aude et Keewat de se tasser un peu à cause de l'étroitesse du passage.

Lorsqu'elle fut à la hauteur de Lorri, elle lui prit le visage dans les mains, avant de l'embrasser longuement.

— Je suis heureuse de te revoir, Laurent Saint-Pierre. Vous commenciez sérieusement à nous manquer, tous les deux.

— C'est extraordinaire ! reprit le Tchippewayan après avoir constaté qu'ils avaient eu la même audace de s'évader.

— Extraordinaire ou pas, tempéra Laurent, nous ne sommes pas sauvés pour autant. Et si nous continuons à faire le même raffut que si nous étions au carnaval de Québec, nous allons avoir une armée d'iguanes sur le dos !

Le baiser de Cynthia lui laissait une sensation merveilleuse. Il avait bien envie d'en redemander.

— Que proposes-tu ? s'enquit la jeune femme dont les yeux trahissaient une allégresse qu'elle avait du mal à dissimuler.

— Nous venons du bas… Vous venez de là… Il ne nous reste plus qu'à aller de ce côté, à l'inverse du puits par lequel nous sommes arrivés. Nous n'avons pas d'autre alternative. Et si vous voulez un second conseil, mieux vaut ne pas se traîner les pieds.

— Ok, mec. Puisque tu en as eu l'idée, à toi de prendre la tête. Je fermerai la marche… Heu… façon de parler.

La reptation du petit groupe reprit avec une ardeur toute neuve. Ces retrouvailles inespérées les avaient dopés. Lorsqu'il avait aperçu Cynthia, Lorri avait senti son cœur s'emballer. Le baiser qu'elle lui avait donné n'était pas innocent, il en était sûr. Plus tard, quand ils se seraient tirés de cette drôle d'aventure, il s'arrangerait pour le lui rappeler… À moins qu'ils ne s'en tirent jamais.

Le conduit les mena à une bouche de sortie. Avant cela, ils étaient passés à proximité d'un extracteur d'air. Face au mécanisme de cet appareil, ils avaient vite réalisé qu'il n'y avait pour eux aucune autre possibilité que de continuer leur progression en ce sens. Des grilles solides en préservaient l'accès. Ils

avaient donc poursuivi leur chemin jusqu'à ce qu'ils rencontrent un système d'entretoises, identique à ceux qu'ils avaient déjà franchis. Ce système débouchait à trois mètres au-dessus du sol sur un local faiblement éclairé. Une baisse de température les fit frissonner.

— Brrr... On gèle, vous ne trouvez pas ? se plaignit Cynthia, vêtue en tout et pour tout, comme ses amis, d'un simple maillot de bain.

— Il nous a conduits jusqu'au frigo ! se moqua Keewat. Je le reconnais bien là, il a toujours faim !

— Tu ne crois pas si bien dire, mon vieux, répliqua Lorri. Ouais, c'est bien le frigo ! J'aperçois des tas de trucs bizarres. Je me demande ce qu'ils bouffent, d'ailleurs... Inutile de s'éterniser. Je vais essayer de me glisser en bas ; les entretoises me paraissent plus espacées que celles de notre cellule. Vous me suivez ?

— Où veux-tu qu'on aille ! Bien sûr que nous te suivons.

Un à un, Laurent, Cynthia, Aude et Keewat franchirent la bouche de sortie et sautèrent sur le sol. Ils se retrouvèrent au milieu d'un stock de denrées complètement inconnues.

— Qu'est-ce que c'est que cette merde ? s'étonna le Tchippewayan, sans se soucier du vocabulaire qu'il employait.

— Venez voir, murmura Cynthia Glendale. C'est incroyable !

— On dirait des sauterelles géantes, fit Lorri. Tu es sûre qu'elles sont mortes ?

— Évidemment. Regarde. Une partie de leur abdomen a été vidée.

— Dégueulasse ! Où ça se trouve, des bestioles pareilles ?

— Sur leur planète, probablement. D'après leur taille, je peux vous certifier que l'atmosphère de cette dernière doit être bien plus riche en oxygène que celle de la Terre.

— Nous ne sommes pas ici pour assister à un cours de sciences, se plaignit Aude. J'ai froid !

— Mettons-nous à la recherche d'une autre issue, proposa Laurent. Moi aussi, j'ai les dents qui font des claquettes.

— Par ici, je viens de voir une deuxième trappe, s'exclama Keewat qui s'était éloigné… Je… Par *Yédoriyé* ! C'est affreux ! J'ai envie de vomir !

— Allons bon ! Qu'est-ce qu'il a encore vu ? railla Lorri.

Il déglutit au bord de la nausée. Aude étouffa un cri. Cynthia se couvrit le visage des mains. Là, suspendu à un crochet de métal, se balançait le corps d'un indigène, ouvert du cou jusqu'à l'entrejambe. Il avait été éviscéré. Des quartiers de chair manquaient sur son corps.

— Tu... tu le reconnais, Lorri, bégaya l'Indien. Le vieil homme que nous avons secouru dans la mine !

— Pauvre type... Ce sont des monstres ! Des mangeurs de chair humaine !

— Allons-nous-en, je vous en prie, gémit Aude.

— Du bétail ! Voilà ce que nous sommes à leurs yeux, murmura Cynthia. Du simple bétail !

En un clin d'œil, les fuyards disparurent à l'intérieur du nouveau conduit.

# 13
# Zarod

L'*otraken*[1] suivit de ses yeux jaunes et globuleux la silhouette massive du calculateur. Lorsque ce dernier disparut derrière le sas coulissant du poste de commande, il se tourna vers les autres Zwanx.

— Je me demande si nous pouvons faire confiance à ce calculateur Zarod, dit-il de sa voix grinçante. Depuis quelque temps, je lui trouve un comportement bizarre. Est-il possible que certaines des ses fonctions se soient déréglées ? Quelles sont ses attributions ?

— Les secteurs quatre, cinq, six et neuf, répondit un iguane. Le système de régulation principal, les communications, l'enregistrement des données biologiques…

---

[1] Commandant.

— Et la surveillance des humains, n'est-ce pas?

Il se tourna vers la console où défilaient les diagrammes d'extraction de minerais. Le gisement n'était pas parmi les plus riches qu'il connaissait, mais néanmoins suffisant pour en tirer un bon nombre de barres de *nériadox 25, 27* et *28*[2], échangeables sur le marché galactique. Tout ce qu'il espérait, c'était que les Luminiens, ces entités qui avaient vaincu l'empire et que les calculateurs appelaient «les Maîtres», lui laissent assez de temps pour en accumuler une véritable cargaison. Dans le cas où ces derniers émergeraient de l'hyperespace sans crier gare, il les honorerait en leur dédiant le travail accompli sur l'île. Les humains s'étaient en effet montrés de très habiles sculpteurs pour imiter la forme sous laquelle les Luminiens s'étaient matérialisés en débarquant sur cette planète. «Ils ne seront pas insensibles à cet honneur», songea-t-il encore avec conviction.

---

[2] Manganèse, cobalt et nickel.

Un transmetteur émit un son bref, puis la voix légèrement déformée d'un sous-intendant couvrit le ronronnement des appareils. C'était l'heure du repas.

L'*oraken* quitta la salle avec appétit. Pour ce soir, on lui avait promis un mets de choix.

Zarod avait volontairement omis de mentionner certains points dans le rapport qu'il venait de transmettre aux Zwanx. Il se pencha sur le clavier de commande des aérateurs et, par quelques rapides manipulations, ferma tout un ensemble de secteurs. Il regarda alors avec satisfaction le déplacement des quatre spots lumineux.

Il savait maintenant ce qui s'était passé. Un accident. L'ouverture du puits spatio-temporel, dans le continuum, avait provoqué, lors d'un départ de la nef *Zanbrador*, le virement d'une zone de vingt mètres cubes d'espace. Cet accident ne pouvait s'expliquer que par une fuite de particules supraluminiques dans les moteurs, ce qui engendra une brisure d'espace-temps. Vingt mètres cubes de l'espace parcouru par ces particules, avaient alors été

« aspirés » le long d'un flux temporel, avec tout ce qu'ils contenaient. Cinq humains, trois femelles et deux mâles, s'étaient trouvés dans la trajectoire. Ils s'étaient rematérialisés à proximité de l'île, à une époque différente de la leur.

Zarod n'ignorait pas que ces prisonniers fuyaient. Il n'en avait rien dit aux Zwanx. Tout déplacement dans le continuum exigeait de grandes précautions et une infinité de calculs. Le moindre incident pouvait avoir des conséquences qui, elles, étaient incalculables. Le virement accidentel des humains s'était révélé assez grave pour qu'il prenne la décision d'en informer les Maîtres sans en toucher un mot aux Zwanx. Il évalua une dernière fois le point de chute des quatre spots, puis il enclencha son système de propulsion.

La peur les tenaillait au ventre. Lorri, Cynthia, Aude et Keewat avaient parcouru le nouveau conduit comme s'ils avaient tous les diables de l'enfer aux trousses. Après ce qu'ils avaient vu, ils n'en étaient d'ailleurs pas loin. Plus le temps passait, plus leur aven-

ture s'assimilait au cauchemar. Un horrible cauchemar.

Ils ne savaient absolument pas où cette fuite allait les mener. Laurent décida que la meilleure chose à faire était de se concerter pour échanger ses idées et, si possible, élaborer un plan concret. Après avoir franchi un passage vertical de quarante mètres et plusieurs sections faiblement inclinées, les quatre amis s'arrêtèrent pour souffler.

— Quelle est donc cette mine dont vous avez parlé, tout à l'heure ? demanda Cynthia.

Keewat raconta par le menu l'expérience qu'il avait vécue au fond de l'océan en compagnie de Lorri. À la fin du récit, il hocha doucement la tête.

— Vous vous rendez compte, ils vont bouffer le vieil homme, tout cela parce qu'il n'en pouvait plus.

— C'est une manière d'éliminer les plus faibles, conclut la scientifique avec un cynisme de circonstance. Voilà donc à quoi servent les prisonniers qui ne sont pas employés à la carrière du volcan : ils ramassent les nodules polymétalliques au fond de l'eau.

— Que peuvent-ils bien en faire, à ton avis ?

— Comme leur nom l'indique, ces galets renferment des quantités non négligeables de métaux. Plus exactement, des oxydes. Je suppose que ces créatures de l'espace les extraient à l'aide d'un procédé quelconque. Les scientifiques connaissent depuis longtemps l'existence de ces nodules. Leur exploitation est très difficile. Grâce à leur technologie, il est clair que les iguanes ont résolu ce problème... Ils doivent en tirer des alliages spéciaux qu'ils utilisent dans leurs matériaux.

— Je peux vous soumettre mon idée ? coupa Lorri avec une certaine impatience. La sortie est par le haut, vous ne l'ignorez pas. Plus nous nous rapprocherons du sommet de la tour, plus nous aurons une chance de nous échapper. Le plan que je propose est de nous faufiler à l'intérieur de la navette qui assure la liaison avec l'île. Une fois à terre, nous nous arrangeons pour prendre la poudre d'escampette et rejoindre Etoha.

— Et les anneaux, tu les as oubliés ? intervint le Tchippewayan.

— Non, évidemment. Il ne faudra pas qu'un seul des extraterrestres nous aperçoive, sinon... retour à la case départ. Et je ne tiens pas à servir de lunch à ces monstres !

— Moi non plus !

— Une fois sur l'île, notre problème ne sera pas résolu pour autant, fit remarquer Aude. Comment allons-nous rentrer chez nous ? À notre époque.

Cette question n'avait pas de réponse, ils le savaient.

— Chaque chose en son temps, dit avec force Lorri. Nous ne devons pas perdre espoir. Maintenant, il faut nous remettre en route.

— Et si nous abandonnions ces conduits pour avancer plus librement ? suggéra Cynthia.

— Pas d'accord. Moi aussi, j'ai mon voyage de ramper comme un ver de terre, mais dans les couloirs de la tour, nous risquons de nous faire repérer plus facilement par les iguanes ou les robots... Sans compter le système de surveillance. Je doute qu'ils n'en soient pas équipés.

— Qui te dit que nous ne sommes pas filmés en ce moment ?

— Jusqu'ici, nous n'avons pas aperçu la moindre caméra. Si tel était le cas, nous les aurions déjà sur le dos, crois-moi.

— À moins que leur matériel vidéo ne ressemble en rien à celui que nous connaissons, présuma Keewat. Dans ce cas, nous avons très bien pu passer devant sans nous en

rendre compte. Mais je pense comme toi. S'ils nous avaient repérés, nous ne serions plus ici.

Les uns derrière les autres, ils se remirent à progresser. À cause des dimensions des conduits, il leur était impossible de circuler deux de front. Laurent, qui avançait en tête, transmettait ses avertissements à son suiveur direct, Cynthia, elle-même les relayant à Aude qui se chargeait alors d'en informer Keewat. À intervalles réguliers, celui-ci jetait des regards angoissés vers les espaces sombres qu'ils laissaient derrière eux. N'allait-il pas, à un moment ou un autre, apercevoir l'horrible face d'un monstre lancé à leurs trousses ? Cela faisait probablement plusieurs heures, maintenant, qu'ils s'étaient échappés des cellules. Combien de temps encore pourraient-ils fuir sans que l'alerte soit donnée ? L'Indien buta sur les pieds de sa compagne. Celle-ci s'était arrêtée brutalement.

— Oups !

— Le conduit descend, expliqua la jeune femme. Lorri se demande si nous n'allons pas nous mettre à glisser sans qu'il soit possible de nous arrêter.

Effectivement, Laurent était perplexe. Depuis un certain temps, il avait croisé des conduits latéraux. Tous étaient condamnés

par des sas coulissants. Le seul chemin possible restait celui qui s'ouvrait devant lui.

— Passe le message, recommanda-t-il à Cynthia. Que tout le monde se tienne sur ses gardes. À la moindre alerte de glissade, on se freine par les chevilles. OK ?

Avec d'infinies précautions, le Québécois reprit sa reptation. Ils avaient à peine franchi quelques mètres que le conduit changea d'inclinaison. D'une vingtaine de degrés, la pente passa à quarante-cinq.

— Attention ! cria-t-il d'une voix étouffée.

Peine perdue. Les quatre amis se mirent soudain à glisser sans qu'il leur soit possible de s'agripper.

L'espace d'un instant, ils firent un boucan d'enfer. Coudes et genoux cognèrent durement contre les parois, sans compter les bracelets qu'ils avaient aux pieds. Toute gesticulation étant inutile, ils se laissèrent emporter. Leur chute prit fin brutalement au bout de quelques secondes, lorsqu'ils furent éjectés du conduit. Ils atterrirent cul par-dessus tête sur un sol vitreux.

— Rien de cassé ? demanda Lorri en se massant le coccyx.

— Ça va pour moi, répondit Keewat.

— Je suis entière également, fit Cynthia. Vous parlez d'un toboggan !

Tous les regards se portèrent vers Aude qui, d'un doigt tremblant, le visage blême, désignait l'espace derrière eux.

Laurent se retourna brusquement. Zarod se tenait à quelques mètres, immobile. L'idée lui traversa l'esprit de replonger illico dans la bouche de sortie à travers laquelle ils avaient été expulsés. Cette tentative était forcément vouée à l'échec, il le comprit bien vite. Il jeta un rapide coup d'œil à droite, puis un autre à gauche. D'un côté un cul-de-sac ; de l'autre, le corps massif du robot. Impossible de s'échapper.

— Je crois que le voyage s'arrête ici, dit-il en affermissant sa voix pour ne pas trahir la panique qui l'envahissait.

Soudain, la tête de l'entité fut zébrée d'éclairs multicolores. Deux de ces éclairs s'arrondirent en cercle puis dessinèrent des yeux. Un autre prit la forme d'une bouche stylisée.

— Je… suis… un calculateur Zarod… Identifiez-vous.

Les quatre amis étaient abasourdis. Ce monstrueux robot s'adressait à eux en fran-

çais. Sans qu'ils en connaissent la raison, cet événement exceptionnel leur remonta énormément le moral.

— Je m'appelle Laurent Saint-Pierre, commença Lorri. Si vous nous comprenez, laissez-nous nous expliquer. Nous n'avons rien à voir avec ce qui se passe ici. Nous sommes des étrangers... d'une autre époque... Nous venons du futur.

— Ce qu'il dit est vrai, appuya Keewat en se redressant.

Malgré son mètre quatre-vingt-six et sa carrure d'athlète, il se sentit minuscule face au robot dont les énormes bras articulés pendaient le long de son corps en forme de fourmi.

— Vous croyez qu'il va répondre ? intervint Cynthia, sans oser remuer le petit doigt, mais qui trouvait la tête de l'entité de plus en plus rigolote.

— Vous... êtes les pri... sonniers évadés. Votre dia... gramme spatio-temporel présente un décalage de... trois uni... tés s.t.u. Suivez-moi.

— Attendez ! protesta Lorri. Nous ne voulons pas retourner avec les autres prisonniers. Je vous répète que nous sommes ici par accident.

— Oui… Vous avez subi un virement. J'ai reçu l'ordre de vous a… mener aux Maîtres.

— Vous voulez parler des monstres… Enfin, heu… des créatures qui vivent ici ?

— Les Maîtres ne vivent pas… dans *Zétor 3*.

— Calculateur Zarod, êtes-vous ami ou ennemi ? demanda tout à coup Aude, timidement.

— Tu l'as mis dans un drôle d'état, dit Cynthia en montrant la tête du robot passer par toutes les couleurs. On dirait que ta question l'embarrasse.

— Ni ami… ni ennemi, reprit l'entité. Ma mission ne m'autorise pas à m'opposer aux… Zwanx. J'ai l'ordre de vous conduire aux Maîtres.

— Je crois deviner que les Zwanx sont les iguanes, expliqua Laurent en se tournant vers ses compagnons. Mais qui sont les Maîtres ? Zarod, qui sont les Maîtres ?

— Les Maîtres sont… les Maîtres. Veuillez… me suivre.

— Il n'y a plus qu'à faire ce qu'il demande, reprit Lorri. Au point où nous en sommes…

— Et s'il nous mène droit aux… Zwanx ? se méfia Keewat.

— Nous n'avons pas d'autre choix… Zarod, pouvez-vous nous libérer les chevilles de ces satanés anneaux ? Ce serait la preuve que nous pouvons vous faire confiance.

Il y eut une série de cliquetis puis, comme par magie, les anneaux s'ouvrirent et tombèrent sur le sol.

— Yaiiiiii ! hurla Keewat comme un Tchippewayan sur le sentier de la guerre. Si je ne me retenais pas, Zarod, je te serrerais la pince !

Le colosse se remit soudain en sustentation. Il fit lentement demi-tour, puis avança en chuintant.

— Allons-y, décida Lorri. Suivons-le.

# 14
# Combat rapproché

Pouvaient-ils vraiment lui faire confiance ? Malgré la décision qu'ils avaient prise de suivre Zarod, cette question hantait les quatre amis. Selon la propre réponse de l'entité, si cette créature n'était pas ennemie, elle n'était pas non plus amie. Elle leur avait ôté les anneaux des chevilles, certes, mais ce geste de bonne volonté n'impliquait pas qu'ils abandonnent toute idée de prudence.

— Où nous conduit-il ? questionna à voix basse Aude de Grands-Murs.

— Aux patrons des lieux, voyons, répondit Keewat. Il nous l'a dit, non !

— Nous n'avons pas d'autre choix que de le suivre, répéta une nouvelle fois Lorri. Nous verrons bien.

— Je me demande bien de quelle nature est la force qui le propulse, dit à son tour Cynthia, chez qui le côté scientifique reprenait toujours le dessus. À part ce léger chuintement que nous entendons, il est plutôt silencieux. Un coussin d'air... Non, cela ferait plus de bruit, surtout pour soulever son énorme masse.

— Interroge-le, fit le Tchippewayan avec un sourire. Il te répondra peut-être.

— Calculateur Zarod, comment avancez-vous ?

Laurent arrondit les lèvres. Elle ne manquait pas de culot, cette petite Française !

Ils eurent la surprise de voir réapparaître sur l'arrière de la tête du robot, les arabesques de lumière dessinant ses yeux et sa bouche, sans que cela ne l'empêche de progresser. En d'autres termes, il avançait la tête à l'envers.

— Je suis équi... pé d'un propulseur... érisien, fit la voix du calculateur.

— Érisien ? Connais pas, avoua Cynthia. Quel est son principe de fonctionnement ? Quelle force met-il en jeu ?

— Ce n'est vraiment pas le moment, intervint Lorri, qui, à chaque instant, craignait de voir surgir les iguanes.

— Le propulseur érisien est une invention originaire d'*Éris*, une pla… nète située à… deux mille quatre cent vingt-cinq de vos années-lumière, capable de rétablir la planéité d'une portion d'espace soumise à la gravité…

— Là, tu es contente, chuchota encore le Québécois. Et ne me dis pas que tu as compris quelque chose à ce charabia.

— Un système antigravité, tout simplement, Lorri. C'est merveilleux ! Tu te rends compte si nous disposions d'une telle technologie !

— Si elle nous permettait de regagner notre époque, je l'encenserais. Pour l'instant, nous sommes plutôt paumés, non ?

Il commençait à en avoir ras les baskets de cette situation où le mauvais sort les ballottait depuis plus de deux jours. Tout ce qu'il voulait, c'était se retrouver sur *La Morrigane* et ne plus parcourir ces interminables couloirs, où s'alignaient de drôles de machineries, à l'angle desquels ils risquaient, à tout moment, de retomber sur leurs adversaires.

Un sas s'ouvrit et le robot les amena au centre d'une rotonde faiblement éclairée. Puisque Zarod ne semblait pas avare de réponses, Lorri posa celle qui lui brûlait les

lèvres depuis que l'entité les avait surpris au cours de leur fuite.

— Où nous conduisez-vous, précisément, Zarod ?

— Aux... Maîtres, répondit une seconde fois le calculateur.

— Où sont les Maîtres ?

— Les Maîtres vous rece... vront à bord de la nef galactique *Zanbrador*.

— Cette nef, où se trouve-t-elle ? interrogea Cynthia, fascinée.

— La nef *Zanbrador* approche de l'orbite de cette planète à la vitesse de quatre cents méga-unités à la seconde... Je dois vous quitter. Je vous atten... drai à bord de la navette, dans le spatioport en haut de *Zétor 3*. Pour y par... venir, vous devrez emprunter le puits central, derrière ce panneau.

Une ouverture apparut dans la paroi qui leur faisait face. Elle révéla un enchevêtrement complexe de piliers et de poutrelles.

— Que ferons-nous si nous sommes découverts ?

— Je ne suis pas auto... risé à m'opposer aux Zwanx... Il en va différemment de vous... Prenez ceci...

Comme par miracle, un bras télescopique surgit de son buste. Laurent saisit avec précaution l'objet qui y était fixé.

— Ceci est un *zébran*... Système de défense effi... cace. À bien... tôt.

Sans ajouter une parole de plus, l'entité les laissa seuls.

⮷

— Bon sang! Venez voir ça! fit la voix de Keewat.

Lorri quitta des yeux l'objet que Zarod lui avait confié. En compagnie d'Aude et de Cynthia, il rejoignit l'Indien au-delà de l'ouverture.

— Nous sommes certainement dans la partie centrale de la station. Ces conduites de toutes tailles et ces câbles doivent véhiculer les fluides énergétiques. Faites attention en regardant au-dessus du garde-fou, il y a un énorme gouffre.

— Bigre! s'exclama Laurent. Ça doit descendre jusqu'au pied de la tour.

Un sifflement d'air retentit brièvement. Le panneau avait repris sa position initiale.

— Nous voilà enfermés, dit Cynthia. Si j'ai bien compris, il ne nous reste plus qu'à grimper le long de ces échelles de coupée.

— Attention ! cria Aude en repoussant ses amis contre la paroi.

Muets de stupeur, ils virent passer, à deux mètres d'eux, le corps d'obsidienne d'un calculateur suspendu dans le vide. Le robot continua sa descente vers les profondeurs sans se préoccuper d'eux.

— Vous croyez qu'il nous a vus ? demanda la jeune Auvergnate, la voix tremblante.

— Je ne pense pas, risqua Laurent. Il doit être affecté à l'entretien des installations. Zarod ne nous aurait pas amenés ici si ses collègues constituaient une menace, car je suppose que nous allons en rencontrer d'autres.

— Il t'a pourtant donné ce... *zébran*, intervint le Tchippewayan.

— Il n'a fait allusion qu'aux Zwanx.

— Comment ça marche, tu as une idée ? s'enquit Cynthia.

Lorri lui montra l'objet. Une de ses extrémités présentait une tige spiralée d'une vingtaine de centimètres, terminée par un cône

tétraédrique. À l'autre bout, une crosse épousait à peu près la forme de la main.

— Et ceci doit être la gâchette, précisa le Québécois en désignant un petit poussoir.

— C'est lourd ?

— Deux kilos…

— Tu devrais vérifier s'il fonctionne, non ?

— Je ne tiens pas à nous faire repérer. De toute manière, il s'agit probablement d'une arme. Le moment venu, nous verrons bien… Mais ne perdons plus de temps. Nous avons une navette à prendre, ne l'oubliez pas. En avant !

En file indienne, les quatre fuyards grimpèrent la première échelle de coupée. Pour ne pas être sujets au vertige, ils chassèrent de leurs esprits la présence du vide sous leurs pieds, duquel, comme les battements de cœur d'un Léviathan[1], montait un martèlement sourd et régulier. Au bout d'une cinquantaine de marches, ils débouchèrent sur une nouvelle plate-forme. Celle-ci serpenta entre d'énormes piliers avant de se transformer,

[1] Monstre aquatique appartenant à la mythologie, mentionné dans la Bible.

sur une dizaine de mètres, en un fragile pont suspendu. Lorsqu'ils l'eurent franchi, ils se lancèrent à l'assaut d'une deuxième échelle de métal.

L'ascension se poursuivit ainsi pendant plus d'une heure. À intervalles réguliers, ils croisèrent des calculateurs. Bien que d'un aspect identique à celui de Zarod, ces robots étaient équipés d'accessoires, ou d'outils, que ne possédait pas leur mystérieux sauveur. Aucun d'entre eux ne sembla les remarquer. Lorri ignorait les raisons pour lesquelles Zarod les avait pris en charge. Ce qui était certain, c'était que son aide tombait à pic. Cette question préoccupait également Cynthia qui fit part de ses doutes à ses amis au cours d'une pause.

— Tout ceci me paraît trop beau pour être vrai, et je m'étonne que notre fuite n'ait pas encore été découverte... Quel but poursuit Zarod, à votre avis ?

— Je l'ignore, répondit Laurent en exprimant tout haut ce qu'il venait de penser. Il semble dévoué corps et... âme à ceux qu'il appelle les Maîtres. Qui sont ces derniers ? Je suppose que nous serons bientôt fixés... Il joue peut-être le rôle d'un agent de renseignement.

— En attendant, se plaignit Aude, j'ai toujours cette impression de marcher avec des semelles de plomb. Je suis exténuée !

— Tu n'es pas la seule, rassure-toi, poursuivit Lorri. Je mettais ce handicap sur le dos des anneaux que nous avions aux chevilles. Nous ne les avons plus et le phénomène persiste. Je ne vois qu'une seule explication : la gravité régnant à l'intérieur de ces murs est supérieure à celle de la Terre qui est normale pour nous.

— Tu as raison, approuva Cynthia. La planète d'où viennent les Zwanx est sans doute plus massive que la nôtre. Son atmosphère, compte tenu de ce que je vous disais dans la chambre froide, y est probablement plus riche en oxygène. Ils possèdent donc les moyens de reconstituer en partie leur milieu naturel... Quelle technologie !

Ils s'étaient à peine remis à progresser qu'un son modulé de grande ampleur résonna.

— Une sirène ! s'exclama Keewat. Cette fois-ci, il se passe quelque chose.

— Notre fuite est découverte, j'en mettrais ma main au feu, affirma la scientifique. Quand je vous disais que c'était trop beau !

— Pressons, commanda Laurent. Le sommet n'est plus très éloigné. J'espère qu'ils ne viendront pas ici en premier !

En toute hâte, ils escaladèrent une nouvelle échelle, puis parcoururent l'étage où ils s'étaient arrêtés. Nouvelle ascension, puis nouveau palier. Là, pour accéder au niveau supérieur, ils devaient traverser le gouffre de part en part en empruntant la passerelle qu'ils avaient devant les yeux. Un sifflement d'air retentit derrière eux. Par l'ouverture qui venait d'apparaître, trois Zwanx surgirent.

Depuis que la sirène s'était mise à mugir, Lorri, malgré son souhait, s'attendait à un événement de ce genre. Sa réaction fut extrêmement rapide. Il pointa le *zébran* et appuya sur la détente. Un rayon pourpre fusa de l'arme en dégageant une intense chaleur. Là où se tenaient deux des monstres, il n'y avait plus maintenant que des tas fumants. Le troisième extraterrestre avait évité le rayon mortel en battant précipitamment en retraite et en refermant le panneau.

— Fiente de castor ! jura Keewat. Cet engin est drôlement efficace.

— Un peu qu'il l'est, s'écria Lorri, excité par l'action. Ses rayons sont identiques à ceux

émis par les appareils volants... Traversez la passerelle, je vous couvre !

Il avait compris que le sas par lequel étaient sortis les Zwanx était celui d'un ascenseur. Le câble qui en soutenait la cage se déroulait le long de la paroi. Il pouvait l'apercevoir par un regard.

Laurent voulait à tout prix priver l'iguane d'avertir ses semblables et, ainsi, l'empêcher de signaler leur position. Il visa soigneusement le câble, tira. Sectionné, le bout inférieur du filin disparut dans le vide, entraîné par la chute de l'ascenseur.

Sans perdre une seconde, Lorri s'élança sur la passerelle. Devant lui, Cynthia, Aude et Keewat avaient déjà pris pied de l'autre côté.

Il lui restait une vingtaine de mètres à parcourir lorsque, derrière lui, le plancher de métal fut brusquement irradié. Une vague de chaleur lui brûla les jambes tandis que la passerelle se tordait dangereusement au-dessus du vide.

Avec l'énergie du désespoir, Laurent bondit en avant. Ses compagnons s'étaient mis à hurler. Avant que l'inclinaison du tronçon de métal, sur lequel il courait, ne le précipite dans l'abîme, il s'élança d'un coup de reins.

Mal calculé par la précipitation, son élan ne fut pas suffisant pour qu'il réussisse à agripper la rampe salvatrice. Tout paraissait perdu lorsqu'il eut la sensation qu'un étau se refermait sur son poignet. En levant la tête, il aperçut le visage de son ami indien, crispé par l'effort, puis se sentit aspiré vers le haut.

— Tu ne croyais pas nous fausser compagnie, mec ! rugit le Tchippewayan.

— Mer… merci, Keewat. Je te dois… une fière chandelle. Sans la vigueur de tes bras, ma carrière d'aventurier s'arrêtait ici.

— Pas le temps de s'attendrir, enchaîna l'Indien en montrant l'endroit d'où était venu l'assaut. Quatre Zwanx en vue !

Un nouveau rayon pourpre fit fondre le garde-fou juste devant eux. À l'étage en dessous, les extraterrestres jetaient des ordres rauques. La meute était lâchée.

Cynthia, Aude, Keewat et Lorri coururent comme jamais ils ne l'avaient fait auparavant. Le jeune Québécois remercia une fois encore Zarod de les avoir délivrés des anneaux-aimants. Sans cela, leur sort eût été fixé. Une énième échelle de coupée les laissa devant une seconde passerelle, qui, comme la première, enjambait le puits. Avec une dif-

férence : à cet endroit, le vide était moins large. À l'autre bout, ils devinaient l'amorce d'une zone beaucoup plus vaste : le spatioport. Ils n'étaient pas sauvés pour autant, car un second groupe de Zwanx leur en barrait l'accès et se précipitait à leur rencontre.

— Feu, Lorri ! Feu à volonté ! vocifera Keewat. C'est notre seule chance de passer.

Laurent n'avait pas attendu les recommandations de son ami. Il pressa la détente de son arme à maintes reprises. Plusieurs extraterrestres partirent en fumée, ce qui amena les autres, qui, visiblement, n'étaient pas armés, à faire preuve de modération. Ils firent marche arrière pour se mettre à couvert.

— La passerelle, vite ! hurla Lorri. Je nous couvre.

Il actionna le *zébran* sans relâche obligeant l'ennemi à rester sur ses positions. Lorri eut un pressentiment. Il se retourna brusquement et constata qu'il était pris à revers. Son arme balaya le centre de la passerelle et provoqua la mort des attaquants. Cependant, devant lui, le plancher de métal était en fusion. Une chaleur épouvantable empêchait maintenant Laurent de rejoindre ses compagnons qui avaient atteint le spatioport.

«Je dois traverser, pensa-t-il, sinon, je suis foutu.» Il avisa une section de câble qui, tel un serpent atteint de folie, se tortillait au-dessus du vide. En évitant de penser à ce qui se passerait si la gâchette du *zébran* était actionnée par accident, il cala l'arme entre sa peau et l'élastique de son maillot, puis, sans se soucier des brûlures occasionnées par le métal surchauffé, il escalada le garde-fou. Il se redressa, saisit le câble à pleines mains et s'élança. Il atterrit au pied d'une drôle de mêlée. Ses amis se débattaient contre plusieurs Zwanx bien décidés, cette fois, à leur barrer le chemin.

La première réaction de Laurent fut de dégainer le *zébran*. Ne pouvant risquer de toucher Keewat, aux prises avec deux reptiles, il plaça l'arme dans les mains de Cynthia.

— Tu t'en sers dès que tu peux, lui cria-t-il en bondissant des deux pieds sur le dos d'un démon vert.

Le choc fut rude. Un Zwanx, c'était deux mètres de haut, et sans doute, cent cinquante kilos de muscle. Mais Lorri n'était pas non plus un poids plume. L'adversaire s'abattit au sol. L'Indien en profita pour suffisamment se dégager afin d'asséner un coup de poing en plein dans la face camuse qui lui faisait face

et de laquelle avait jailli une langue acérée comme un pieu. Il eut l'impression que ses doigts éclataient sous l'impact. L'extraterrestre fut cependant assez étourdi pour lâcher prise et reculer de plusieurs pas. Deux rayons pourpres jaillirent alors et les Zwanx furent anéantis.

— Bravo ! s'exclama Aude en félicitant Cynthia pour son adresse.

La voie était libre. À l'intérieur du spatioport, aux dimensions gigantesques, trônait la masse d'un vaisseau fusiforme. Les quatre amis sprintèrent vers sa soute béante, car il ne pouvait s'agir que de la navette dont avait parlé Zarod. Une douzaine de démons verts surgirent par un couloir latéral.

— Assaisonne-les ! hurla Lorri à Cynthia, qui avait conservé le *zébran*.

Pourtant, lorsque la scientifique pressa la détente, aucun rayon ne s'en échappa. L'arme était vide.

Ils se ruèrent comme des enragés à l'intérieur de la soute, et ce, sous un déluge de feu. Des Zwanx armés arrivaient en renfort. Le plan incliné qui en autorisait l'accès s'escamota tandis que retentissait un terrible sifflement. Une voix métallique couvrit le vacarme.

— Bien… venue à bord… Contact avec la nef *Zanbrador* dans deux… heures dix-sept minutes vingt-cinq secon… des.

Cette voix, Laurent l'avait immédiatement reconnue : c'était celle de Zarod, le robot.

# 15
# Retour vers le futur

Assis au creux de fauteuils ergonomiques, Laurent et Cynthia observaient avec intérêt les gestes précis accomplis par les extrémités articulées de Zarod. La navette s'était arrachée du spatioport et avait bondi en plein ciel, avant de s'immobiliser au-dessus de Rapa Nui. Sous le pilotage d'un autre calculateur, un appareil volant ayant la forme d'une assiette renversée, véritable « soucoupe volante », avait alors emmené Aude et Keewat vers la grotte des jeunes Pascuans, Kao et Vaïhou, afin d'en ramener Etoha. Les fuyards, en rejoignant le robot, s'étaient empressés, en effet, de mettre l'entité au courant de la présence de leur amie sur l'île, mais Zarod le savait. Ses détecteurs lui avaient déjà signalé

depuis longtemps la position d'Etoha. Lorsque la jeune Samoane serait à bord, le calculateur pilote avait reçu les consignes de se mettre à la recherche du professeur de Grands-Murs. Pourtant, lorsque la soucoupe revint, ce fut sans l'archéologue.

— Où est-il donc ? fit Laurent en se passant la main dans les cheveux.

Succédant à la joie des retrouvailles, l'incertitude occupait de nouveau les esprits.

— Et si, comme nous l'avions déjà supposé, il ne lui était rien arrivé ? avança Keewat.

— Où était... le pro... fesseur lorsque vous avez basculé ? intervint le robot. À combien de dis... tance de vous ?

— Une centaine de mètres au moins, n'est-ce pas ? répondit Aude, la voix tremblante de chagrin.

— Le bascule... ment spatio-temporel n'a affecté qu'une zone de vingt mètres cubes d'espace. Par conséquent le pro... fesseur est resté dans votre é... poque.

— Vous en êtes certain ?

— Probabilité de quatre-vingt-dix-neuf point neuf pour cent.

Un peu de couleur revint sur le visage d'Aude de Grands-Murs, puis, timidement,

un sourire. Cette affirmation du robot la rassurait sur le sort de son aïeul, même si elle ne lui fournissait pas le moyen de le revoir dans l'immédiat, en chair et en os. Tout en reprenant les commandes de la navette, le calculateur illumina l'arrière de sa tête de volutes lumineuses. Ces volutes se fondirent entre elles pour imiter, à s'y méprendre, le visage de la jeune Auvergnate. Lorri, Keewat, Etoha et Cynthia éclatèrent de rire.

— Tu es notre ami, dit l'Indien en s'approchant de la massive entité. Quoi qu'il arrive, je suis heureux de t'avoir rencontré. *Eltchélékwié !*

— Les deux... frères, traduisit immédiatement le calculateur.

— Fiente d'ours ! jura le Tchippewayan. Comment tu sais ça ?!

— Je parle quatre mille sept cent vingt-deux langues. C'est... tout.

Un nouveau fou rire s'empara des quatre amis en voyant la tête abasourdie de leur compagnon. Cynthia tenta alors de mettre en ordre la tonne de questions qu'elle s'apprêtait à poser à Zarod. Elle ne savait pas par quel bout commencer.

— Regardez ! s'exclama tout à coup Etoha, lui coupant le fil de sa réflexion. La Terre !

— Nous sommes dans l'espace ! jubila Laurent. Vous vous rendez compte ! Dans l'espace !

— Et en bermuda de bain ! ajouta Keewat avec le plus grand sérieux. C'est encore plus extraordinaire. Si les gars de la NASA nous voyaient !

L'image de la planète apparaissait sur un écran de grandes dimensions, disposé devant le tableau des commandes principales. Au premier abord féerique, cette vision poussa Lorri à poser LA question, celle qu'ils se posaient tous. Qu'allaient-ils devenir, maintenant ?

— Les Maîtres décideront de vo... tre sort, répondit le calculateur.

— À quoi ressemblent-ils ? Aux... Zwanx ?

Par cette interrogation, il faisait allusion à leur éventuel aspect physique, mais aussi, à leur psychologie. Étaient-ils, comme les iguanes, des individus peu respectueux de la vie des autres espèces ? N'allaient-ils pas tomber, en rencontrant ces Maîtres mystérieux, de Charybde en Scylla ? Laurent émettait également de sérieuses réserves sur tout être se faisant appeler Maître, à moins que ce

mot ne désigne un rapport de connaissances entre celui qui sait et celui qui ne sait pas.

— Pourquoi les appelles-tu « Maîtres », Zarod ? Es-tu… un esclave ?

— Esclave… terme désignant un être totalement soumis à un autre… Je ne sais pas…

— Les habitants de l'île sont devenus les esclaves des Zwanx, précisa Laurent. Ils les obligent à ramasser des pierres au fond de l'océan. Ils ont séparé leurs familles. Ils les tuent et les… mangent lorsqu'ils ne les satisfont plus. L'histoire de cette planète, la Terre, est remplie d'événements de ce genre. Approuves-tu de telles pratiques ?

— Approuver… terme désignant un état comme bon… louable… conforme à la vérité.

— Ma parole, il a bouffé un dictionnaire ! s'exclama Keewat.

— Pourquoi nous as-tu aidés ? Manifestement, tu n'approuves pas les Zwanx.

— Les Zwanx ont outrepassé la mission qui leur avait été assi… gnée. Votre présence dans une époque qui n'est pas la vôtre, peut être dange… reuse pour le continuum. J'ai… jugé qu'il était nécessaire d'en informer les Maîtres… Juger… terme désignant une prise de décision sur un état… un événement…

Ces… expressions sont nouvelles pour… moi. Ne suis-je pas en train d'outrepasser mes fonctions ?

— Tu veux dire, conclut Cynthia en s'immisçant dans la conversation, dont la tournure prenait une voie inattendue, que tu n'avais pas à nous aider ?

La tête du robot était parcourue de flashes de plus en plus nombreux.

— Ce n'est pas le moment qu'il nous fasse un court-circuit, prévint le Tchippewayan.

— Les calculateurs ont pour rôle la prise en charge des systèmes, reprit l'entité d'obsidienne. Pas la prise de… décisions. Il semble que je possède désormais cette… faculté… Faculté… capacité mentale… Mental… relatif au fonctionnement psychique… Psychique… qui concerne les états de conscience… Conscience… Conscience… Conscience… Conscience…

— Qu'est-ce qui lui arrive ? Il pète les plombs ? demanda Aude, vaguement effrayée.

— Es-tu un être conscient, Zarod ? poursuivit Lorri.

— Je… pense, donc je… suis… Cette phrase fait partie de ma mémoire. Je la comprends désormais… Je suis Moi.

— Ça alors ! murmura le jeune Québécois. Venons-nous d'assister à l'émergence de la conscience chez ce robot ? Descartes[1], le philosophe, serait-il connu au-delà du système solaire ?

Tous les regards convergeaient maintenant vers le calculateur.

— Tu te sens bien ? risqua Keewat.

— Je me sens… parfaitement opérationnel… mes amis.

— Ahhh ! Tu nous as fait peur, un moment, Zarod. Je nous voyais déjà obligés de prendre en main ce vaisseau.

— Regardez ! résonna la voix d'Etoha en désignant l'écran panoramique.

Tandis que disparaissait peu à peu la ligne bleutée de l'horizon terrestre nimbé de sa fine atmosphère, dans la partie inférieure, un nouveau vaisseau venait de surgir. En tenant compte de la distance, tous devinèrent que la structure qu'ils avaient sous les yeux dépassait de beaucoup la taille du navire à bord duquel ils se trouvaient. Elle ressemblait à une orange gigantesque, couleur argent, piquée, dans ses parties hautes et

---

[1] Auteur de la formule *je pense donc je suis* dans les *Méditations métaphysiques*, 1641.

basses, d'excroissances rectilignes comme des flèches de cathédrales.

— Contact avec la nef *Zan... brador* dans six minutes vingt-cinq secondes, annonça simplement le calculateur.

⇲

Cynthia était frustrée. Dans quelques minutes, elle n'aurait sans doute plus le loisir d'assouvir son besoin de connaissances. Pour une scientifique de son niveau, cette aventure était inespérée. Bien sûr, il y avait l'incertitude de leur sort à tous. Que se passerait-il lorsqu'ils seraient en présence des Maîtres ? Malgré cela, elle ne pensait qu'à une chose : obtenir le maximum de réponses à ses questions. Quelle énergie utilisait le vaisseau ? Les voyages dans le temps étaient-ils donc possibles ? D'où venaient-ils tous ? Les Zwanx ? Lui, Zarod ? Les Maîtres ? De quel secteur de la galaxie ? À quelle distance ? Combien de mondes habités peuplaient l'espace ? Elle devait se faire une raison. Jamais Zarod n'aurait la possibilité de répondre à toutes ses interrogations.

Hypnotisés par la vision de la nef *Zanbrador* dont certains détails commençaient

à se préciser sur le noir profond du vide, piqueté d'étoiles, Laurent et Keewat étaient, eux aussi, partagés entre l'émerveillement et la crainte.

Lorri se sentait habité par un drôle de sentiment. Au fil de ses aventures, il avait été plongé dans des mondes nouveaux, inconnus et insoupçonnés. L'univers recelait en son sein d'incroyables créations. La biodiversité ne se limitait donc pas à la Terre. Là, dans des espaces galactiques lointains et mystérieux, au-delà des nébuleuses, vivaient et prospéraient des êtres doués de conscience, avec tout ce que cela pouvait entraîner. Les Zwanx étaient manifestement les représentants d'une espèce animée par la conquête, le besoin d'asservir, deux étendards maintes fois portés par les hommes au cours de leur histoire et, malheureusement, qui le seraient encore dans le futur.

Cette diversité semblait étendre ses ramifications, non seulement vers des êtres composés de chair, mais aussi dans des machines. Laurent ignorait l'origine exacte de Zarod. Était-il né du savoir des Maîtres ? Appartenait-il à un monde qui lui était propre, celui d'êtres possédant une génétique composée de molécules autres que biologiques ? Ce qui

était certain, c'est qu'il était doué d'une conscience. Cette conscience, dont à l'entendre il venait de découvrir la réalité, l'avait poussé à les tirer des griffes des démons de Rapa Nui. Cette faculté du choix, bon, mauvais, ou le plus adapté, semblait le mettre mal à l'aise. Était-il la première « machine », douée d'une âme, à voir le jour ? Si tel était le cas, Lorri et ses compagnons venaient d'assister à une bien étrange naissance.

La nef barrait maintenant la totalité de leur champ de vision. Une cavité sombre venait d'apparaître, de dimensions ridicules comparées à celles du gigantesque engin, mais cependant assez larges pour engloutir la navette. Les lumières du poste de pilotage s'éteignirent soudain. Crispés par l'ignorance du rendez-vous qui les attendait, les visages des jeunes humains n'étaient plus éclairés que par les arabesques animées des témoins de commande. Après une progression de quelques minutes dans le noir complet, Zarod quitta le tableau de bord et se mit en sustentation.

— Vous êtes in... vités à dé... barquer, dit-il en butant comme à l'accoutumée sur les syllabes des mots. Suivez-moi.

Ils gagnèrent le sas de sortie par de longs couloirs à peine illuminés. Un cylindre s'ouvrit sur un noir d'encre, où luisait l'intérieur d'un tube transparent, à l'extrémité duquel était fixée une étrange structure. Zarod tendit un bras.

— Vous devez monter à bord de ce tempordeur. Ne touchez à rien. Tout se fera auto… matiquement. Comme vous le dites, Terriens, a… dieu.

— Hé, minute ! paniqua Lorri. Où ce truc va-t-il nous emmener ? Tu es notre ami, n'est-ce pas, Zarod ? Alors, tu nous dois plus d'explications.

— N'ayez pas peur… Vous allez communiquer avec les Maîtres. Il ne vous arrivera… rien. Il ne vous est… rien arrivé.

Le robot recula lentement. Sur sa face d'obsidienne polie, les cinq compagnons purent voir s'inscrire, à tour de rôle, chacun de leurs propres visages.

— Attends ! cria encore Lorri. Nous reverrons-nous un jour ?

Le sas se referma sans que l'entité ait répondu.

— Par *Yédoriyé* ! Je ne me sens pas rassuré, laissa tomber Keewat. On n'y voit goutte au-delà de ce drôle de taxi !

— Faisons ce qu'il a dit, décida Cynthia. Montons à bord du… tempordeur.

— Qu'a-t-il voulu dire par « il ne vous est rien arrivé » ? demanda Aude.

— Peut-être s'est-il trompé dans la concordance du temps, suggéra Etoha, montrant ainsi que s'il lui arrivait de buter sur certains mots lorsqu'elle s'exprimait dans une langue qui ne lui était pas familière, elle n'en possédait pas moins des notions de grammaire.

— J'en doute, fit Lorri. À mon avis, il a employé le passé volontairement. Mais, comme l'a conseillé Cynthia, montons dans cet engin.

Le tempordeur avait la forme d'une grosse bulle de savon, translucide. Pour l'instant, cette propriété ne leur servait pas à grand-chose, car il ne discernait rien de leur entourage, si ce n'était le tube d'accès et, rattaché à son autre extrémité, le sas, maintenant clos, de la navette. Ils s'installèrent sur des sièges fortement inclinés, dont les mécanismes tarabiscotés prouvaient qu'ils étaient capables de s'adapter à bien des morphologies. Il y eut un léger chuintement et la bulle se referma. Tout de suite après, ils virent le tube d'appontage s'éloigner, puis disparaître, absorbé par la nuit.

Lorri écarquillait les yeux, tout comme ses amis d'ailleurs, dont il devinait à peine les visages, seulement éclairés par la luminescence d'un pan de cabine où défilaient de drôles de signes. Soudain, l'espace extérieur, autour du tempordeur, se peupla de boules incandescentes animées de vitesses fulgurantes. Elles étaient d'un blanc bleuté, virant parfois à l'orangé. Ces déplacements marquaient sa rétine d'empreintes persistantes. Par manque de points de repère, Laurent était incapable d'en évaluer les tailles. Il ressentit alors une curieuse sensation, à la limite du désagréable. Il eut l'impression de rapetisser. Oui, c'était cela. Il voulut avertir ses compagnons. Malgré sa volonté de leur parler, sa bouche ne s'ouvrait pas. Aucun son n'en sortait. Il était paralysé.

Devant le tempordeur, quelque chose se passait. Les boules lumineuses convergeaient vers un point précis. Une silhouette se dessina peu à peu : elle devint une tête gigantesque sur un corps de Titan. Lorri reconnut la forme d'un *moai* dont les yeux, lenticulaires, devinrent des soleils rougeoyants. Une voix de stentor retentit :

— N'AYEZ PAS PEUR, TERRIENS. VOUS AVEZ ÉTÉ VICTIMES D'UN ACCIDENT SPATIO-

TEMPOREL LIÉ À UNE DÉFAILLANCE DE L'UN DE NOS SYSTÈMES… CET ESPACE-TEMPS N'EST PAS LE VÔTRE…NOUS VOUS RENVOYONS LÀ D'OÙ VOUS VENEZ…CET INCIDENT SERA EFFACÉ DE VOS MÉMOIRES…

Le grand *Moai* perdit graduellement de la consistance. « Non ! songea violemment Lorri. Tout cela ne peut pas finir ainsi. Nous ne sommes pas de simples disques durs ! » Il dut faire un effort surhumain pour demander :

— Attendez, je vous en prie… L'île de Rapa Nui est sous la domination des Zwanx. Vous ne pouvez pas les laisser faire ça. Que vont devenir les habitants ?

Il n'avait pas senti ses lèvres remuer. Malgré cela, la silhouette du grand *Moai* se rematérialisa.

— LES ZWANX ONT FAILLI À LEUR RÉINSERTION… ILS SERONT MIS HORS D'ÉTAT DE NUIRE… *ZÉTOR 3* SERA DÉMONTÉE… LE PEUPLE DE L'ÎLE SERA LIBÉRÉ.

Laurent désirait en savoir plus, mais une luminosité douloureuse envahit l'intérieur du tempordeur. Il tenta de s'en protéger des deux bras portés en avant. Tout devint subitement noir, puis ce fut le néant.

# Épilogue

Keewat émergea le premier à la surface de l'eau. Il avait eu une sensation étrange, tout à coup. Il vit sortir la tête ruisselante de Cynthia à ses côtés, puis celle d'Étoha.

— Hummm ! Que c'est bon ! se languit la scientifique en faisant la planche.

Lorri apparut à son tour. Il épongea de la main l'eau dégoulinant de ses cheveux plaqués sur son front, puis fonça comme une torpille vers Cynthia qui se mit à hurler en fuyant.

— Où est Aude ! murmura l'Indien avec angoisse, une angoisse qu'il ressentait là, au creux de son ventre, et qu'il ne s'expliquait pas.

Il sentit qu'on le saisissait par les épaules, puis qu'on l'obligeait à s'enfoncer sous l'eau.

Il eut juste le temps d'entendre un éclat de rire avant de boire une tasse magistrale.

— Aude ! cria-t-il en refaisant surface et en crachant des tonnes d'eau. Attends que je t'attrape !

Sa peur avait disparu.

— Le dernier qui rejoint l'îlot est de corvée ce soir ! lança jovialement Cynthia qui avait déjà plusieurs mètres d'avance sur ses concurrents.

— Attendez ! Où est le professeur ? s'exclama Lorri en s'arrêtant de nager.

Tous tournèrent la tête vers l'îlot. Ils voyaient bien le matériel mais pas l'archéologue.

— Aude… Laurent… hia… eewat… Ohé !… êtes-vous ?

Des bribes de mots leur parvenaient de la direction opposée, là où grondaient les vagues. À bord d'une pirogue, quelqu'un tentait de les appeler, les mains en porte-voix.

— Ohé ! Professeur ! hurla Laurent. Nous sommes ici !

Cette silhouette ne pouvait être que celle du savant.

— Que fait-il à bord de ce canot ? dit Aude, incrédule. Nous ne sommes plus des enfants que je sache !

— Il y a quelque chose qui cloche, intervint Keewat. Je ne peux pas l'expliquer, mais je le sens.

— Tu as raison, approuva Cynthia qui avait rejoint ses compagnons. Avant de plonger, il n'y a pas plus de deux minutes, je l'ai aperçu qui s'affairait autour des instruments. Je rêve ou quoi ? Comment a-t-il fait pour parcourir cette distance en si peu de temps ?

— C'est drôle, dit à son tour Lorri. J'ai l'impression d'être dans l'eau depuis plusieurs heures… C'est comme si j'avais perdu… la notion du temps, justement.

— J'ai envie de regagner l'îlot, intervint à son tour Etoha. La tête me tourne.

Tous se mirent à hurler vers la pirogue en faisant de grands signes.

— Il nous a aperçus ! lança joyeusement Aude.

Blaise de Grands-Murs respirait beaucoup mieux maintenant. Il avait eu peur. Cette farce n'était pas du meilleur goût, surtout avec la barrière de corail à proximité. Cela faisait près d'une heure qu'il était à leur recherche, allant même jusqu'à imaginer qu'une lame de fond les avait emportés. Ah oui, saperlipopette ! Elle allait devoir s'expliquer la jeunesse !

— Ben, grand-père! Qu'est-ce que tu fichais là ? commença Aude, lorsqu'ils eurent rejoint la pirogue.

— Comment, qu'est-ce que je fichais là!? Je vous cherche depuis une heure... En voilà des façons...

— Une heure!? Mais c'est impossible, voyons. Je t'ai fait signe, il y a à peine cinq minutes... Rappelle-toi.

— Je me rappelle parfaitement, ma petite-fille. Montre en main, je peux te certifier que cela s'est passé... il y a soixante-six minutes. Où étiez-vous cachés?

— Nous étions toujours à proximité de l'îlot, professeur, je peux vous le certifier. Je vous ai aperçu, moi aussi, avoua Laurent.

— Moi, également, dit Cynthia.

— Si nous grimpions à bord? proposa Keewat. Je commence à fatiguer.

Rapidement, les jeunes gens se hissèrent à l'intérieur de la pirogue. Par politesse, le Tchippewayan s'empara de la pagaie que tenait le savant. Au passage, il nota l'heure indiquée par la montre de ce dernier. L'archéologue disait vrai. Cette montre avançait donc d'au moins une heure puisqu'il se rappelait avoir lu celle qu'indiquait sa propre montre avant de l'ôter pour se jeter à l'eau,

et qu'entre ce moment et l'instant présent, en tenant compte du temps approximatif qu'ils avaient passé en plongée, il y avait une heure de trop.

— Votre montre avance, professeur, expliqua-t-il. Vous étiez tellement pris par la mise en place du matériel que vous avez cru qu'il s'était écoulé plus de temps qu'en réalité.

— Tout simplement ! approuva Aude en riant, afin de calmer son aïeul.

— Ne me prenez pas pour un fou, reprit de plus belle le savant. Même si, par moments, on peut avoir du mal à me suivre. Je suis resté une demi-heure sur l'îlot à guetter votre réapparition. Ne vous voyant pas revenir, après avoir longuement inspecté la surface du lagon, précisément là où vous deviez vous trouver, j'ai mis la pirogue à l'eau. Cela fait une demi-heure de plus que je vous cherche à son bord.

— Nous sommes désolés de vous avoir angoissé, professeur, s'excusa Cynthia. C'était bien involontaire, croyez-le.

« Bien sûr que c'était involontaire, songea Lorri. Pourtant, comme disait Keewat, il y a quelque chose qui cloche dans cette histoire. » Il n'avait qu'une hâte, c'était de consulter sa propre montre. Cette première exploration

du lagon n'avait pas duré plus d'un quart d'heure, vingt minutes, il en était certain. Certain ? Sa mémoire lui paraissait encombrée d'événements qu'il n'arrivait pas à cerner. Qu'est-ce que tout cela voulait dire ?

Ils étaient tous plongés dans la plus profonde hébétude. Dans l'incompréhension la plus totale. Leurs montres indiquaient toutes la même heure, à quelques secondes près. Celle du professeur n'avançait donc pas. Il y avait un trou d'une heure dans l'emploi du temps des cinq jeunes gens. Leur dernière plongée avait duré près d'une heure sans qu'ils refassent surface. C'était physiquement impossible.

— Alors ? interrogea Blaise de Saints-Murs. Quelqu'un a-t-il une explication ?

— Je me rappelle vaguement certaines choses, dit Etoha. C'est un peu comme si j'avais… rêvé. J'ai en tête des visages flous… de jeunes gens que je ne connais pas. Et pourtant, que j'ai l'impression de connaître malgré tout. Un garçon et une fille… Le garçon était coiffé d'un chignon.

— Est-ce qu'ils ne vivaient pas dans une caverne dissimulée dans la forêt ? demanda Keewat.

— Dans laquelle on pénétrait par une ouverture plutôt étroite ? renchérit Lorri.

— Mais oui ! Comment savez-vous cela ?

— Dans cette forêt poussaient des *toromiros*, dit à son tour Cynthia. Tu te rappelles, Aude ?

— Oui... Je me... rappelle, laissa tomber la jeune Auvergnate en se massant les chevilles. Nous ramassions des légumes...

— Un drôle de numéro que vous me faites là, dit Blaise de Grands-Murs en se massant le menton avec le pouce et l'index. Votre cas me paraît sérieux.

— Que voulez-vous dire ? s'inquiéta Lorri.

— Je n'en suis pas certain, mais... il semblerait qu'au cours de ce trou d'une heure dans votre emploi du temps, vous ayez vécu une expérience commune... Essayez de vous rappeler un peu mieux... Oh ! Un lézard ! Il s'est faufilé dans la caisse aux instruments de prélèvements. Vous avez vu ça ! Viens ici que je t'attrape, petit effronté !

L'archéologue plongea la main où était stocké le matériel, la ressortit, triomphant.

— Je l'ai ! Je l'ai !

Cynthia, Aude, Etoha, Keewat et Lorri se levèrent précipitamment. Ils reculèrent de plusieurs pas, littéralement effrayés.

— Ben quoi, les enfants ? Vous n'avez jamais vu de lézard ? Il ne va pas vous manger !

Le Québécois et le Tchippewayan échangèrent un regard chargé d'appréhension.

— C'est horrible, s'écria tout à coup Aude.

— Un cauchemar, murmura Cynthia, la voix tremblante... Professeur, s'il vous plaît... éloignez-le.

Ses jeunes amis ne plaisantaient pas. Ils étaient terrifiés. Blaise de Grands-Murs n'insista pas. Après avoir laissé fuir le petit animal quelques mètres plus loin, il revint avec des gestes apaisants.

— Bien... bien... Asseyons-nous et tentons d'y voir clair... Hem ! Hem !... Essayez de vous souvenir. Ce ou ces lézards, en quoi étaient-ils effrayants ?

— Je ne sais pas, je ne sais pas, répéta Aude. Il y avait aussi... des statues monstrueuses, comme... comme...

— Celles de l'île de Pâques ! s'exclama Lorri. J'en suis certain, maintenant.

— Des *moai*... une forêt de *toromiros*... un jeune gars à la chevelure ramassée en

chignon… Ce que vous décrivez là correspond tout à fait. Cela voudrait donc dire que… Oui, vous avez vécu une expérience spatio-temporelle.

— Tu veux dire, grand-père, que nous aurions tous les cinq rêvé que nous étions sur l'île de Pâques ?

— Non, pas rêvé, ma petite-fille. Si tel était le cas, vous vous seriez noyés… Non, je veux parler d'un véritable voyage spatio-temporel. Comment cela est-il possible, je l'ignore. Est-ce le fait d'avoir évoqué longuement cette île au cours de nos conversations antérieures ? Je ne peux rien t'expliquer.

— Ce voyage aurait duré une heure, n'est-ce pas, professeur ? demanda Lorri.

— Ou bien plus que cela, intervint Cynthia. Il se sera écoulé une heure pour le professeur resté sur l'îlot, mais pour nous, qui peut savoir !

— Cynthia a raison, reprit Blaise de Grands-Murs. Votre temps ne s'écoulait sans doute pas de la même manière que le mien. Selon votre description, ce virement s'est effectué vers le passé… Nom d'une pipe ! Vous réalisez la chance que vous avez eue ? Et pendant ce temps-là, je m'époumonais à votre recherche ! Je suppose qu'aucun d'entre

vous n'a songé à me ramener un petit quelque chose, hein ?

La discussion s'était poursuivie pendant plusieurs heures, chacun y étant allé de sa plus belle théorie pour tenter d'élucider, d'une manière un peu plus rationnelle, leur mésaventure. Malgré cela, l'énigme était restée complète. Leurs souvenirs se limitaient à quelques lambeaux épars, soutirés à grand-peine de leurs mémoires. Ils devinaient que ces fragments étaient comme les pièces d'un puzzle dont le dessin d'ensemble leur resterait à jamais inaccessible.

Il avait fallu reprendre l'étude. Etoha, qui se préparait à entrer dans l'enseignement, avait formulé le désir de participer plus longuement aux travaux. Tous, évidemment, avaient accepté.

*La Morrigane* avait donc levé l'ancre avec une passagère supplémentaire. L'exploration s'était poursuivie une vingtaine de jours et devait encore durer deux semaines. Un jour qu'il consultait le courriel sur son ordinateur portable relié par satellite au reste du monde,

Lorri trouva un message l'informant qu'un appartement se libérait à Montréal. Ce message répondait à une de ses demandes. S'il ne voulait pas rater l'affaire, il devait la traiter sur place dans les plus brefs délais. Ce courrier était accompagné d'un autre, en provenance d'Ouzbékistan : un mot de son père, Olivier Saint-Pierre, en mission humanitaire. Il l'informait du recrutement de volontaires par le CEREMA, le centre d'étude et de restauration de l'écosystème de la mer d'Aral. Si cela lui disait, il appuierait sa demande. L'Ouzbékistan... La mer d'Aral... L'Orient... Quel superbe voyage, ça ferait !

Il avait pris une décision. Il laisserait *La Morrigane* entre les mains de Cynthia et de ses compagnons. Les derniers jours d'étude se feraient sans lui.

Demain, Laurent débarquerait à Tahiti. De là, il s'envolerait vers Montréal. Seul, dans sa chambre à bord du voilier, il jouait avec une fourmi. L'insecte, amené à bord par accident, lui était particulièrement sympathique.

Sa forme lui rappelait quelque chose. Peut-être quelqu'un ? Quelqu'un qui aurait ressemblé à une fourmi ? C'était ridicule. On frappa à la porte. Cynthia venait lui faire ses adieux. Ça, ce l'était déjà beaucoup moins, ridicule…

Et tandis que *La Morrigane* continuait son petit bonhomme de chemin, là-bas, sous d'autres cieux, d'énormes statues attendaient en vain un indicible signe des dieux.